令和7年版

司法

合格
ゾーン

ポケット判

択一過去問肢集

3 不動産登記法Ⅰ 総論

はしがき

＜本書のねらい＞

　資格試験における短期合格の鉄則は、試験の出題傾向に合致した学習をすることです。司法書士試験もその例外ではありません。その意味で本試験に過去出題された問題は、試験合格のための参考資料の宝の山といえます。合理的学習の第一歩として、頻出とされる知識を「繰り返し」学習することにより、その出題内容と内容の深さの程度や、出題傾向を把握することが重要となります。本書は今後出題されることが予想される重要な過去問を選び出し掲載することにより、「繰り返し」学習を効率的に行うことが可能となっています。

＜本書の特長＞

(1)　膨大な過去問から本当に必要な知識を厳選し、体系別又は条文順に配列し直して掲載しました。また解答を導き出すのに必要な知識を解説部分にコンパクトにまとめて掲載しました。

(2)　令和7年4月1日時点で施行が確実な法令に合わせて解説の改訂をしており、法改正により影響を受ける問題については、同日施行予定の法令で解けるよう過去問を編集し掲載しています。

(3)　問題ごとに過去問の番号を付しました。また、同系統の問題は代表的なものを掲載し、過去問の番号を連記しました。

(4)　左頁に問題を、右頁に解答・解説を掲載しているので、解いた問題をすばやくチェックできます。それにより、弱点を早く発見でき効率的な総復習に役立ちます。

(5)　あらゆるところに持ち運びができ、通勤通学の電車の中など、コマギレの時間を有効活用できるよう、コンパクトなB6判で刊行しました。

＜本書で学習するにあたって＞

(1)　問題については、オンライン庁における「書面申請」(申請情報の全文又は一部を記録した電磁的記録媒体を除く。) を前提としています。解説につ

いては、原則として「書面申請」「オンライン申請」の双方を考慮していますが、「書面申請」のときのみ成立する肢については、それを前提とした解説となっています。なお、不動産登記法施行令附則第5条に規定する添付情報の提供方法に関する特例（特例方式）については問題文中に指定がある場合を除き、考慮しないものとしています。

(2) 登録免許税に関する問題は、租税特別措置法等の特例法による税の減免の規定の適用はないものとして解答してください。

(3) 問題文中に特に指示のない限り、本書中の株式会社（特例有限会社を除く。）については取締役会設置会社（取締役会を置く株式会社または会社法の規定により取締役会を置かなければならない株式会社）としています。

(4) 平成27年の商業登記法改正及び不動産登記令改正により、申請人が法人であるときは、原則として、申請情報と併せて、①会社法人等番号を有する法人にあっては、当該法人の会社法人等番号又は②①に規定する以外の法人にあっては、当該法人の代表者の資格を証する情報を提供しなければならない（不登令7Ⅰ①）とされました。国内の法人の大多数が会社法人等番号を有することから、本書では、問題文中に指定がある場合を除き、会社法人等番号を提供して申請するものとして解答してください。

(5) 本書では、問題文中に指定がある場合を除き、法定相続情報一覧図の写し又は法定相続情報番号を提供しないで申請するものとして解答してください。また、情報通信技術を活用した行政の推進等に関する法律（デジタル手続法）第11条に規定する添付書面等の省略については、考慮しないものとして解答してください。

なお、さらに実践力を磨きたい方には、ＬＥＣの「精撰答練」の利用をおすすめします。質の高い予想問題を解くことで、さらなるレベルアップを図ることができます。

司法書士試験合格を目指し勉学に励んでいる多くの方々が、本書を有効に活用することで1年でも早く合格されることを願います。

2024年7月吉日

株式会社　東京リーガルマインド
ＬＥＣ総合研究所　司法書士試験部

左ページ

問題

学習項目を表示。

❶ 不動産登記制度全般

001

一部譲渡による根抵当権の一部移転の登記□□において、根抵当権者が二人以上あるときは、□□されない。

時間のない直前期に絶対に押さえてほしい問題をマーキング！

002 □□□ 　　　　　　　　　　　　　　平24-13-イ

賃借権の移転の登記が申請された場合において、賃借権者が二人以上あるときは、登記記録に持分が記録される。

本書は、択一式試験問題を各選択肢ごとに掲載し、過去の本試験の出題実績は下記のように表記しています（法改正等により、問題として成立しなくなったものについては掲載しておりません）。
【例】平24-13-エ → 平成24年本試験において、問13のエ肢として出題。

平24-13-エ

□□された場合において、債権者が二□□□分は記録される。

004 □□□ 　　　　　　　　　　　　平24-13-オ（平29-26-オ）

信託の登記が申請された場合において、受託者が二人以上あるときは、登記記録に持分は記録されない。

平27-19-オ（平21-23-ウ）

「正解チェック欄」をつけました。
直前期の総復習に、有効活用してください。

□当権を分割して譲り渡す場合の登記は、

右ページ

解答・解説

○ **001**

一部譲渡による根抵当権の一部移転により、根抵当権は、譲渡人と譲受人の共有となる。しかし、持分の記録は要しない（不登令3⑨括弧書）。

○ **002**

賃借権移〔　　　〕者が二人以上〔問題を解く前に解答・解説が見え〕が申請情報の〔ないようにしたい方は、本書には〕6号記録例30〔さみ込まれた「解答かくしシート」をご利用ください。〕

× **003**

処分の制限の登記を嘱託する場合、登記権利者が二人以上となるときであっても、処分の制限について共有関係が生ずることはあり得ないため、持分を嘱託情報の内容とすることを要しない（昭35.8.20民三842号参照）。

○ **004**

信託財産は受託者全員の合有となるため、受託者ごとの持分を申請情報の内容とする必要はない（平28.6.8民〔　　〕521）。

× **005**

根抵当権の分割譲渡による移転の登記は主登記で〔　　〕番号は原根抵当権と同じ順位番号が用いられる〔　　　〕Ⅱ、平28.6.8民二386号記録例499）。

ポイントを集約した解説。また、解説の重要なキーワードは青文字で強調しています。

総論

❶ 不動産登記制度全般

CONTENTS

はしがき

本書の効果的利用法

第1編　総論

第1編

総論

001 □□□ 　　　　　　　　　　　　平24-13-ア（平2-17-ア）

一部譲渡による根抵当権の一部移転の登記が申請された場合において、根抵当権者が二人以上あるときは、登記記録に持分は記録されない。

002 □□□ 　　　　　　　　　　　　　　　　　平24-13-イ

賃借権の移転の登記が申請された場合において、賃借権者が二人以上あるときは、登記記録に持分が記録される。

003 □□□ 　　　　　　　　　　　　　　　　　平24-13-エ

処分禁止の仮処分の登記が嘱託された場合において、債権者が二人以上あるときは、登記記録に持分は記録される。

004 □□□ 　　　　　　　　　　　平24-13-オ（平29-26-オ）

信託の登記が申請された場合において、受託者が二人以上あるときは、登記記録に持分は記録されない。

005 □□□ 　　　　　　　　　　　平27-19-オ（平21-23-ウ）

所有権を目的とする根抵当権を分割して譲り渡す場合の登記は、付記登記によってする。

○ 001

一部譲渡による根抵当権の一部移転により、根抵当権は、譲渡人と譲受人の共有となる。しかし、持分の記録は要しない（不登令3⑨括弧書）。

○ 002

賃借権移転の登記を申請する場合において、賃借権者となる者が二人以上であるときは、当該登記名義人となる者ごとの持分が申請情報の内容となる（59④、不登令3⑨、平28.6.8民二386号記録例308参照）。

× 003

処分の制限の登記を嘱託する場合、登記権利者が二人以上となるときであっても、処分の制限について共有関係が生ずることはあり得ないため、持分を嘱託情報の内容とすることを要しない（昭35.8.20民三842号参照）。

○ 004

信託財産は受託者全員の合有となるため、受託者ごとの持分を申請情報の内容とする必要はない（平28.6.8民二386号記録例521）。

× 005

根抵当権の分割譲渡による移転の登記は主登記で実行され、順位番号は原根抵当権と同じ順位番号が用いられる（不登規165Ⅰ・Ⅱ、平28.6.8民二386号記録例499）。

006 ▢▢▢　　　　　　　　　平27-19-ア（平2-24-カ）

仮登記した所有権の移転の仮登記は、付記登記によってする。

007 ▢▢▢　　　　　　　　　平元-21-3（平24-24-カ）

仮登記された所有権移転請求権の移転の登記は、主登記でされる。

008 ▢▢▢　　　　　　　　　平元-21-5（平24-24-キ）

抵当権の順位の変更の登記は、主登記でされる。

009 ▢▢▢　　　　　　　　　　　　　　令2-12-ア

抵当権の順位の変更の登記がされている場合に更にする抵当権の順位の変更の登記は、常に付記登記によってする。

010 ▢▢▢　　　　　　　　　　　令2-12-ウ（平24-24-ア）

根抵当権の共有者間における根抵当権の優先の定めの登記は、常に付記登記によってする。

011 ▢▢▢　　　　　　　　　　　　　　平25-12-エ

抵当権の順位の譲渡についての登記請求権を保全するための処分禁止の仮処分の執行としての抵当権の処分禁止の登記は、付記登記によってされる。

× **006**

105条1号の仮登記がされた所有権を移転した場合、当該移転の登記は主登記による仮登記によってされる（昭36.12.27民甲1600号）。

× **007**

仮登記された所有権移転請求権の移転の登記は、当該仮登記に付記して本登記としてされる（不登規3⑥、昭36.12.27民甲1600号参照）。

○ **008**

順位変更の登記は、主登記によってされる（昭46.10.4民甲3230号第一）。

× **009**

抵当権の順位の変更の登記がされている場合に更にする抵当権の順位の変更の登記は、主登記によってされる（平28.6.8民二386号記録例422）。

○ **010**

根抵当権の優先の定めの登記（民398の14Ⅰ但書）は、付記登記によってされる（不登規3②ニ）。

○ **011**

所有権以外の処分の制限の登記は、付記登記によってされる（不登規3⑤）。

令2-12-イ

012

転抵当権の登記の抹消の登記は、常に付記登記によってする。

平27-19-イ

013

転借権の登記の抹消の登記は付記登記によってする。

平23-18-オ

014

地上権者Aの地上権を目的として、Bを抵当権者とする抵当権の設定の登記をする場合には、その登記は、付記登記でされる。

平2-24-ア（平24-24-ウ、令2-12-エ）

015

賃借権が敷地利用権である場合の敷地権である旨の登記は、付記登記でされる。

平25-12-イ

016

破産手続開始の登記は、主登記によってされる場合と付記登記によってされる場合とがある。

平2-24-オ（平24-24-エ）

017

根抵当権者の相続に伴う合意の登記は、付記登記でされる。

平4-26-2（平24-24-イ）

018

共同抵当権の次順位者の代位の登記は、主登記でされる場合もあれば、付記登記でされる場合もある。

✕ 012

抹消の登記は、どのような権利が抹消される場合でも主登記によってされる（不登規3参照）。

✕ 013

抹消の登記は、どのような権利が抹消される場合でも主登記によってされる（不登規3参照）。

◯ 014

地上権を目的として抵当権設定の登記を申請した場合、当該登記は地上権設定の登記に付記して登記される（不登規3⑤、平28.6.8民二386号記録例363）。

✕ 015

敷地権である旨の登記は、所有権、地上権、賃借権を問わず、すべての登記において主登記で実行される（46）。

◯ 016

破産手続開始の登記は、所有権については主登記、所有権以外の権利については付記登記である（平16.12.16民二3554号）。

◯ 017

不動産登記規則3条2号により付記登記でされる。

✕ 018

共同抵当権の次順位者の代位の登記は、付記登記でされる（民393、不登規3⑧）。

019 □□□ 　　　　　　平4-26-3（平21-23-ア、平25-12-ア）

根抵当権の極度額の変更登記は、主登記でされる場合もあれば、付記登記でされる場合もある。

020 □□□ 　　　　　　　　　　　　　平24-24-オ

抵当証券交付の登記の抹消の登記は、付記登記でされる。

021 □□□ 　　　　　　　　　　　　　平25-12-ウ

賃借権を先順位抵当権に優先させる旨の同意の登記は、付記登記によってされる。

022 □□□ 　　　　　　　　　　　　　平25-12-オ

所有権を自己信託の対象とした場合における当該所有権が信託財産となった旨の権利の変更の登記は、付記登記によってされる。

023 □□□ 　　　　　　　　　　　　　平27-19-ウ

所有権の更正の登記は付記登記によってする。

024 □□□ 　　　　　　　　　　　　　平27-19-エ

所有権を目的とする抵当権の設定の登記請求権を保全するための処分禁止の登記は付記登記によってする。

025 □□□ 　　　　　　　　　　　　　平21-23-イ

買戻期間の満了による買戻権の登記の抹消は、付記登記により行われる。

× 019

根抵当権の極度額の変更は、常に付記登記でされる。

× 020

抵当証券交付の登記の抹消登記は、主登記でされる（不登規3参照）。

× 021

賃借権を先順位抵当権に優先させる旨の同意の登記は、主登記で行う（平15.12.25民二3817号）。

× 022

所有権を自己信託の対象とした場合における当該所有権が信託財産となった旨の権利の変更の登記は主登記で行う（平19.9.28民二2048号）。

○ 023

所有権の更正の登記は必ず付記登記によってされ、主登記によってされることはない。

× 024

所有権を目的とする抵当権の設定の登記請求権を保全するための処分禁止の登記は主登記によってする（平28.6.8民二386号記録例696）。

× 025

買戻期間の満了による買戻権の登記の抹消は、主登記により行われる（不登規3参照）。

026 ☐☐☐   平21-23-エ

登記事項の一部が抹消されている場合においてする抹消された登記の回復の登記は、付記登記により行われる。

027 ☐☐☐   平21-23-オ

債権の譲渡を原因とする抵当権の移転の登記は、付記登記により行われる。

028 ☐☐☐   平22-18-イ

根抵当権の元本の確定期日の定めの登記は付記登記によらないで登記される場合がある。

029 ☐☐☐   平22-18-ウ

登記の目的である権利の消滅に関する定めの登記は付記登記によらないで登記される場合がある。

030 ☐☐☐   平22-18-エ

抵当権の利息の組入れの登記は付記登記によらないで登記される場合がある。

031 ☐☐☐   平22-18-オ

地上権の強制競売開始決定に係る差押えの登記は付記登記によらないで登記される場合がある。

○ 026

登記事項の一部が抹消されている場合においてする抹消された登記の回復の登記は、付記登記により行われる（不登規3④）。

○ 027

債権譲渡を原因とする抵当権の移転の登記は、付記登記により行われる（不登規3⑥）。

○ 028

根抵当権の元本確定期日の定めの登記は、根抵当権設定登記の申請情報の内容とした場合には、主登記によってされる。一方、根抵当権設定登記がされた後に新たに元本の確定期日を定めた場合や、元本の確定期日を変更、廃止した場合には、利害関係を有する第三者がいないため、付記登記によってされる（66）。

× 029

登記の目的である権利の消滅に関する定めの登記は、必ず付記登記によってされる（不登規3⑦）。

○ 030

抵当権の利息の組入れの登記は、登記上の利害関係を有する者がいないか又は登記上の利害関係を有する第三者の承諾があれば付記登記で、登記上の利害関係を有する者の承諾等が得られなければ、主登記によってされる（66）。

× 031

所有権以外の権利を目的とする権利に関する登記（処分の制限の登記を含む。）は、付記登記によってされる（不登規3⑤）。

---

032 ☐☐☐　　　　　　　　　　　平8-25-ウ（平25-19-イ）

所有権移転の登記請求権を保全するための処分禁止の仮処分の登記をした仮処分債権者による仮処分債務者を登記義務者とする所有権移転の登記の申請をする場合において、仮処分の登記の後に登記された賃借権の設定の登記を登記官が職権によって抹消することができる。

---

033 ☐☐☐　　　　　　　平25-19-オ（平4-21-2、平8-25-エ）

地上権の設定の登記請求権を保全するための処分禁止の仮処分の執行としての処分禁止の登記及び保全仮登記がされた不動産について、当該保全仮登記に基づく本登記がされた場合には、当該処分禁止の登記は、登記官の職権により、抹消される。

---

034 ☐☐☐　　　　　　　　　　　平29-15-ウ（令3-13-ア）

官公署は、公売処分をした場合において、登記権利者の請求があったときは、遅滞なく、当該公売処分による権利の移転の登記を登記所に嘱託しなければならない。

---

035 ☐☐☐　　　　　　　　　　　　　　　　平28-25-エ

公売処分による所有権の移転の登記の嘱託は、電子情報処理組織を使用する方法によって行うことができる。

✕ 032

本肢の仮処分の登記の後に登記された賃借権は、仮処分債権者に対抗することができないので、仮処分債権者が仮処分債務者を登記義務者として所有権移転登記を申請する際に、当該賃借権の登記も仮処分債権者が単独で抹消することができる（111 I、民保58 I・II、平成2.11.8民三第5000号第三、一、（2）ア）。したがって、登記官が職権で抹消することはできない。

○ 033

保全仮登記に基づく本登記をしたときは、登記官は当該保全仮登記とともにした処分禁止の仮処分の登記を職権で抹消する（114）。

○ 034

官公署は、公売処分をした場合において、登記権利者の請求があったときは、遅滞なく、当該公売処分による権利の移転の登記を登記所に嘱託しなければならない（115）。

○ 035

登記の申請は、電子情報処理組織を使用する方法、又は申請情報を記載した書面を提出する方法のいずれかにより行うことができる（18①・②）。そして、このことは、嘱託による登記の手続においても同様である（16 II）。

036 □□□ 平25-19-エ（平29-14-イ）

個人である債務者に係る破産手続開始の登記がされている不動産について、破産管財人が裁判所の許可を得て任意売却し、その所有権の移転の登記がされた場合には、当該破産手続開始の登記は、登記官の職権により、抹消される。

037 □□□ 平27-17-ア

不動産登記法上、登記官は、一定の場合には、職権で権利に関する登記を抹消又は更正することがあるが、職権による登記の抹消がされるのは、管轄違いの登記又は登記事項以外の事項の登記を目的とする登記がされている場合に限られ、一方、職権による登記の更正がされるのは、登記官が、権利に関する登記に登記官の過誤による錯誤又は遺漏があることを発見した場合に限られる。

038 □□□ 平27-17-イ

職権による登記の抹消又は更正をするに当たり、登記官は、あらかじめ、登記権利者及び登記義務者に対して、職権による登記の抹消又は職権による登記の更正をする旨を通知する。

039 □□□ 平27-17-ウ

職権による登記の抹消又は更正の対象となる登記について登記上の利害関係を有する第三者が存在する場合、登記官は、当該第三者の承諾を得ずに、職権による登記の抹消又は更正をすることができる。

✕ **036**

破産手続開始の登記がされている不動産について、当該破産手続開始の登記は、任意売却し、その所有権の移転の登記がされた場合、官公署の嘱託により抹消されることとなる（昭32.3.20民甲542号）。

✕ **037**

職権による登記の抹消がされるのは、管轄違いの登記又は登記事項以外の事項の登記を目的とする登記がされている場合に限られない（71Ⅰ・25①～③・⑬参照）。一方、職権による登記の更正がされるのは、登記官が、権利に関する登記に登記官の過誤による錯誤又は遺漏があることを発見した場合に限られる（67Ⅱ本文・Ⅰ）。

✕ **038**

登記官は、登記が25条1号から3号まで又は13号に該当することを発見したときは、登記権利者及び登記義務者並びに登記上の利害関係を有する第三者に対し、当該登記を抹消する旨をあらかじめ通知しなければならない（71Ⅰ）。一方、錯誤又は遺漏のある登記を発見した登記官は、当該登記の錯誤又は遺漏が登記官の過誤によるものであるときは、登記の更正をしなければならず、当該更正の登記をしたときは、その旨を登記権利者及び登記義務者又は登記名義人に通知しなければならない（67Ⅱ本文・Ⅰ・Ⅲ）。

✕ **039**

職権による抹消を申請する場合に、登記上の利害関係を有する第三者の承諾を要するとする規定は存在しない（71参照）。一方、職権による登記の更正をする際に登記上の利害関係を有する第三者が存在する場合は、当該第三者の承諾を要する（67Ⅱ）。

040 ☐☐☐

平27-17-エ

登記官は、職権による登記の抹消又は更正をするに当たって、職権による登記の抹消については、法務局又は地方法務局の長の許可を得る必要はないが、職権による登記の更正については、その登記官を監督する法務局又は地方法務局の長の許可を得なければならない。

041 ☐☐☐

平22-22-ウ

抵当権の債務者の相続による変更の登記の申請は、登記権利者及び登記義務者が共同して申請する。

042 ☐☐☐

平22-22-エ

抵当権の登記に記録された抵当権者の取扱店の変更の登記の申請は登記権利者又は登記義務者として観念されない登記名義人が共同して申請する。

043 ☐☐☐

平22-22-オ

法定相続分による相続を登記原因とする所有権の移転の登記がされた後にする遺産分割を登記原因とする所有権の移転の登記の申請は、権利者及び義務者が共同して申請することも、登記名義人が単独で申請することもできる。

○ **040**

職権による抹消を申請する場合に、法務局又は地方法務局の長の許可を得ることを要するとする規定は存在しない（71参照）。一方、登記官は、権利に関する登記に錯誤又は遺漏があることを発見した場合、当該登記の錯誤又は遺漏が登記官の過誤によるものであるときは、遅滞なく、当該登記官を監督する法務局又は地方法務局の長の許可を得て、登記の更正をしなければならない（67Ⅱ本文・Ⅰ）。

○ **041**

抵当権の債務者の相続による変更の登記は、抵当権者（抵当権の登記名義人）が登記権利者、抵当権設定者が登記義務者となって、共同して申請する（60）。

× **042**

抵当権の登記に記録された抵当権者の取扱店の変更の登記は、登記名義人表示変更の登記に準ずるものとして、抵当権者（抵当権の登記名義人）が申請人となって、単独で申請する（64、昭36.9.14民甲2277号）。

○ **043**

遺産分割を原因とする所有権移転登記は、遺産分割により当該不動産の所有権を取得することとなった相続人を登記権利者、遺産分割により共同相続により取得した共有持分を失った相続人を登記義務者として、共同して申請することができる（60、昭28.8.10第1392号）。また、当該登記権利者が単独で申請することもできる（令5.3.28民二538号、民事月報Vol.78.5）。

044 ☐☐☐   令4-20-イ

Aに相続人のあることが明らかでないため相続財産清算人が選任
された場合には、当該相続財産清算人は、Aが所有権の登記名義
人である不動産について「A」から「亡A相続財産」への所有権
の移転の登記を申請することができる。

045 ☐☐☐   平27-26-エ

A及びBを所有権の登記名義人とする土地について、Aが死亡し
たが、相続人のあることが明らかでなく、Aの持分につき、Aの相
続財産法人名義とする所有権の登記名義人の氏名の変更の登記が
されている場合において、特別縁故者不存在確定を登記原因とす
るAからBへのAの持分の移転の登記は、Bが単独で申請すること
はできない。

046 ☐☐☐   平17-17-ア

添付情報が登記事項証明書であるときは、これに代わる情報を送
信することにより電子申請をすることはできない。

047 ☐☐☐   平17-17-イ（平31-12-ア）

登記権利者と登記義務者とが共同して自ら電子申請をする場合に
は、登記権利者及び登記義務者のいずれもが申請情報に電子署名
を行わなければならない。

× 044

相続人のあることが明らかでないときは、相続財産は、法人とする（民951）。そして、この場合には、被相続人から相続財産である法人へ所有権の移転の登記を申請するのではなく、相続財産である法人名義とする氏名の変更の登記を申請する（登研707-193）。

○ 045

共有者の1人が相続人なくして死亡し、民法958条の2の規定による特別縁故者への財産分与がされなかった場合の他の共有者への持分移転の登記は、「特別縁故者不存在確定」を登記原因とし、他の共有者へ持分移転の登記を申請する（平3.4.12民三2398号）。そして、当該持分移転の登記は、他の共有者を登記権利者、相続財産法人を登記義務者とする共同申請による。

× 046

電子情報処理組織を使用する方法により登記を申請する場合において、登記事項証明書を併せて提供しなければならないとされているときには、法務大臣の定めるところに従い、これに代わる情報を送信することにより電子申請をすることができる（不登令11）。

○ 047

登記権利者と登記義務者とが共同して自ら電子申請をする場合には、登記権利者及び登記義務者のいずれもが申請情報に電子署名を行わなければならない（不登令12Ⅰ）。

048 ▢▢▢ 平17-17-ウ

電子申請をする場合において、第三者の承諾を証する情報を申請
情報と併せて提供するときは、当該第三者の承諾を証する情報に
当該第三者が電子署名を行わなければならない。

049 ▢▢▢ 平17-17-エ（平31-12-イ）

法人が申請人となって電子申請をする場合において、申請情報に
電子署名を行った当該法人の代表者が、電子認証登記所の登記官
が作成した電子証明書を提供したときは、当該電子証明書の提供
をもって、当該申請人の会社法人等番号の提供に代えることがで
きる。

050 ▢▢▢ 平17-17-オ（平24-14-オ）

電子申請をする場合において、申請情報と併せて提供した添付情
報は、登記が完了する前に限り、原本還付の請求をすることがで
きる。

051 ▢▢▢ 平24-14-ア

登記識別情報の通知を受けるべき者が、登記官の使用に係る電子
計算機に備えられたファイルに登記識別情報が記録され、電子情
報処理組織を使用して送信することが可能になった時から30日以
内に自己の使用に係る電子計算機に備えられたファイルに当該登
記識別情報を記録しない場合には、登記官は、登記識別情報を通
知することを要しない。

○ **048**

電子申請をする場合において、申請情報と併せて提供する添付情報は、作成者の電子署名が必要となる（不登令12Ⅱ）。

○ **049**

法人が申請人となって電子申請をする場合において、申請情報に電子署名を行った当該法人の代表者が、商業登記法12条の2に規定されている印鑑提出者である場合、電子認証登記所の登記官が作成した電子証明書を提供したときは、当該申請人の会社法人等番号の提供に代えることができる（不登規44Ⅱ・43Ⅰ②）。

× **050**

不動産登記規則55条1項は原本還付ができる場合を、書面申請に限定して認めているものであり、電子申請をする場合に提供する添付情報は、たとえ登記が完了する前であっても原本還付の請求をすることはできない。

○ **051**

電子申請による登記完了後、電子情報処理組織を使用して登記識別情報の送信をすることが可能となった時から30日以内に、通知を受けるべき者が自己の使用に係る電子計算機に備えられたファイルに当該登記識別情報を記録しない場合には、登記官は、登記識別情報を通知することを要しない（不登規64Ⅰ②）。

電子申請の取下げは、法務大臣の定めるところにより電子情報処理組織を使用して申請を取り下げる旨の情報を登記所に提供する方法によってしなければならない。

所有権の移転の登記が書面により申請された場合における当該申請の取下げは、電子情報処理組織を使用する方法によって行うことができる。

電子申請の手続に関して、代理人によらず申請人自らが電子申請をした場合において、登記官が当該電子申請を却下するときは、登記官は、書面により決定書を作成して、申請人ごとにこれを交付しなければならない。なお、特例方式については、考慮しないものとする。

電子情報処理組織を使用する方法(特例方式については、考慮しないものとする。)により不動産登記の申請をする場合において、所有権の移転の登記の申請情報の内容に誤記がある場合において、登記官が定めた相当の期間内に申請人が当該誤記を補正するときは、当該補正に係る書面を登記所に提出する方法によってすることができる。

○ **052**

電子申請をした場合における、当該申請の取下げは、法務大臣の定めるところにより、電子情報処理組織を使用して、当該申請を取り下げる旨の情報を登記所に提供する方法によってしなければならない（不登規39Ⅰ①）。

× **053**

書面申請による場合の申請の取下げは、申請を取り下げる旨の情報を記載した書面を登記所に提出する方法によってしなければならない（不登規39Ⅰ②）。

○ **054**

登記官は、申請を却下するときは、決定書を作成して、これを申請人ごとに交付する（不登規38Ⅰ本文）。そして、電子申請を却下する場合においても、同様である。

× **055**

電子情報処理組織を使用する方法により不動産登記の申請をした場合において、当該申請を補正するには、電子情報処理組織を使用して申請の補正をしなければならず、書面によってすることはできない（不登規60Ⅱ①）。

電子情報処理組織を使用する方法（特例方式については、考慮しないものとする。）により不動産登記の申請をする場合において、登記義務者が登記識別情報を提供することができないため申請代理人である司法書士が作成した本人確認情報を提供して申請をするときは、当該申請代理人が司法書士であることを証する情報を提供しなければならない。

電子情報処理組織を使用する方法（特例方式については、考慮しないものとする。）により不動産登記の申請をする場合において、申請人が同一の登記所に対して同時に二以上の申請をする場合において、各申請に共通する添付情報を一の申請の申請情報と併せて提供するときは、当該添付情報を当該一の申請の申請情報と併せて提供した旨を他の申請の申請情報の内容としなければならない。

電子申請をした申請人は、申請に係る登記が完了するまでの間、申請情報及びその添付情報の受領証の交付を請求することができる。

電子申請の手続に関して、電子申請の受付をした登記所に、登録免許税に係る領収証書を貼付した登録免許税納付用紙を提出する方法によって、登録免許税の納付をすることはできない。なお、特例方式については、考慮しないものとする。

○ **056**

資格者代理人が本人確認情報を提供して申請をするときは、当該資格者代理人が登記の申請の代理を業とすることができる者であることを証する情報を併せて提供しなければならない（不登規72Ⅲ）。

○ **057**

同一の登記所に対して、同時に2以上の申請をする場合において、各申請に共通する添付情報があるときは、当該添付情報は、一の申請の申請情報と併せて提供することで足りる（不登規37Ⅰ）。そして、この場合、当該添付情報を当該一の申請の申請情報と併せて提供した旨を他の申請の申請情報の内容としなければならない（不登規37Ⅱ）。

× **058**

受領証の交付は、書面申請をした申請人のみが請求することができ、電子申請をした申請人は、請求することができない。

× **059**

電子申請の方法による登記の申請をする場合の登録免許税の納付は、歳入金電子納付システムを利用する方法のほかに、領収証書又は収入印紙を窓口に提出する方法によってすることもできる（登録税24の2Ⅰ・Ⅲ、登録税施行規23Ⅰ）。

平28-25-イ

060 ☐☐☐

書面を交付する方法により通知された登記識別情報の失効の申出は、電子情報処理組織を使用する方法によって行うことができる。

平26-16-エ

061 ☐☐☐

A及びBは、Aに対してBへの所有権の移転の登記手続を命ずる確定判決を登記原因証明情報として提供し、共同して、当該所有権の移転の登記を申請することができる。

平13-26-ア（平26-16-イ）

062 ☐☐☐

AがBから一筆の土地の一部を買い受けたが、Bが分筆登記手続及び所有権移転登記手続に協力しない場合、Aは、Bを被告として分筆登記手続及び所有権移転登記手続を命ずる判決を得なければ、単独で所有権移転登記を申請することができない。

平22-24-ウ

063 ☐☐☐

A名義の不動産にBを抵当権者、Aを債務者とする抵当権の設定の登記がされている場合において、Aの債権者Cが、当該抵当権の設定契約を詐害行為を理由として取り消し、当該登記の抹消登記手続をBに対して命じる旨の確定判決を得たときは、Cは、Aに代位して、単独で当該登記の抹消を申請することができる。

平22-24-エ

064 ☐☐☐

根抵当権の担保すべき元本が確定したが、根抵当権設定者Bが確定の登記の申請に協力しない場合において、根抵当権者Aが当該根抵当権が確定していることを確認する確定判決を得たときは、Aは、単独でその登記の申請をすることができる。

○ **060**

登記識別情報の失効の申出は、①電子情報処理組織を使用して申出情報を登記所に提供する方法、又は②申出情報を記載した書面を登記所に提出する方法のいずれかにより行うことができる（不登規65Ⅲ①・②）。

○ **061**

所有権移転の登記手続を命ずる判決があった場合、登記権利者及び登記義務者は、当該判決書正本を登記原因証明情報として提供して、共同で当該登記を申請することができる（登研142-45）。

× **062**

一筆の土地の一部を買い受けた者がその土地の所有権移転登記を受けるためには、その前提として分筆登記（39）をしなければならないが、買主は所有権移転登記とともに分筆登記を訴求する必要はない。

○ **063**

本肢の場合において、原告（債権者C）は、判決書正本を、登記原因証明情報兼代位原因証明情報として提供し、登記権利者（債務者A）に代位して、単独で当該抵当権の登記の抹消を申請することができる（昭38.3.14民甲726号参照）。

× **064**

本肢では、元本の確定登記手続を命ずる給付判決を取得していないため、単独で申請することはできない。

Aが所有権の登記名義人である甲土地につきAがBに対して所有権の移転の登記手続に必要な書類を交付することを内容とする和解調書に基づき、Bは、単独で甲土地の所有権の移転の登記を申請することができる。

家庭裁判所での離婚訴訟における判決中に、不動産の財産分与を命じる主文も併せてあるような場合には、必ずしも登記手続を命ずるものでなくとも、判決の確定により登記の真正を保持することができることから、判決による登記における「判決」となる。

甲土地の所有権の登記名義人であるAが死亡し、Aに配偶者B並びに子C及びDがいるときにおいて、Aの死亡後にB、C及びDから甲土地を買い受けたEが、B、C及びDからEへの売買を原因とする所有権の移転の登記手続を命ずる確定判決に基づき、代位によって、AからB、C及びDへの相続を登記原因とする所有権の移転の登記の申請をする場合において、当該確定判決の理由中にAの相続人がB、C及びDのみである旨の認定がされているときは、相続があったことを証する情報として当該確定判決の正本を提供すれば足りる。

判決による登記における「判決」に準ずるものとして、執行力については判決と同一の効力を有するものには、和解調書、認諾調書、調停調書及び公正証書がある。

✕ 065

63条1項に規定されている確定判決には、和解調書が含まれる。しかし、所有権移転登記手続に必要な書類を交付する旨が記載されているにすぎない和解調書を提供しても、登記権利者は、単独で所有権移転の登記を申請することはできない（昭56.9.8民三5483号）。

✕ 066

家庭裁判所での離婚訴訟における判決中に、不動産の財産分与を命じる主文も併せてあるような場合であっても、登記手続を命じるものでなければ、判決による登記における「判決」とはならない（63Ⅰ）。

○ 067

確定判決の理由中に、相続人全員が訴訟の被告となっていることが明らかであるときは、当該確定判決の正本を相続があったことを証する情報とすることができる（登研548-166）。

✕ 068

公正証書については、登記に対する認諾条項（公正証書による売買契約書をもって「登記権利者はこの証書をもって単独で登記申請できる」旨の記載）があったとしても、これをもって判決と同一の効力を有するものとはいえない（明35.7.1民刑637号）。

069 ☐☐☐　　　　　　　　　　　平5-23-ア（令3-18-イ）

売買を原因とする所有権移転登記手続を命ずる判決において、売買日付が主文にも理由中にも表示されていない場合には、登記原因及びその日付を「年月日不詳売買」として登記の申請をすることができる。

070 ☐☐☐　　　　　　　　　　　　　　　　平25-18-ウ

AからBへの所有権の移転の登記手続をすることを内容とする仲裁判断につき確定した執行決定がある場合であっても、Bは、単独で当該所有権の移転の登記を申請することはできない。

071 ☐☐☐　平26-16-ア（平9-13-イ、平12-26-2、平25-18-エ）

Aが所有権の登記名義人である甲土地につき農地法所定の許可があったことを条件としてBに対して所有権の移転の登記手続を命ずる確定判決に基づき、Bが単独で当該所有権の移転の登記を申請する場合には、添付情報として当該許可があったことを証する情報を提供すれば、当該判決について執行文の付与を受けていなくても、当該登記を申請することができる。

072 ☐☐☐　　　　平19-15-エ（平5-14-エ、平12-26-1）

AからBへの所有権の移転の登記手続を命ずる判決が確定したが、その訴訟の口頭弁論終結前に売買を原因とするAからCへの所有権の移転の登記がされている場合には、Bは、Cに対する承継執行文の付与を受けて判決によるCからBへの所有権の移転の登記を申請することができる。

○ 069

売買による所有権移転の登記を判決によって行う場合、判決の主文又は理由中に売買の日付が記載されていないときは、登記原因及びその日付を、「年月日不詳売買」として登記の申請ができる（昭34.12.18民甲2842号参照）。

× 070

仲裁判断は、当事者間において確定判決と同一の効力を有し（仲裁45）、これに基づいて民事執行をするためには執行決定が必要とされる（仲裁46）。そして、登記申請手続をなすべき旨の仲裁判断につき執行決定がなされたときは、登記義務者の申請意思が擬制され、登記権利者は単独で登記を申請することができる（昭29.5.8民甲938号）。

× 071

債務者の意思表示が債権者の証明すべき事実の到来に係る場合は、執行文の付与を受けた時に債務者の意思表示があったものとみなされる（不登令7Ⅰ⑤ロ（1）、昭48.11.16民三8527号参照）。

× 072

A所有の不動産について、原告Bのために所有権の移転の登記を命ずる判決の訴訟継続中にAから移転の登記を受けたCに対し、Bのための承継執行文の付与があっても、Bは、CからBへの所有権の移転の登記を申請することはできない（昭31.12.14民甲2831号）。

073 □□□ 平18-21-ウ

判決による登記における「判決」が確定したときは、その確定の時に登記申請の意思表示をしたものとみなされるので、執行文は不要であるが、例えば、その意思表示が反対給付との引換えに係る場合には、判決に執行文を付与してもらう必要があり、このような場合は、執行文が付与された時をもって登記申請の意思表示をしたものとみなされる。

074 □□□ 平5-23-イ（平18-21-オ）

判決に基づく所有権移転の登記を申請する場合には、登記義務者の登記識別情報を記載した書面、印鑑証明書、登記権利者の住所証明書の添付を要しない。

075 □□□ 平25-18-オ（平10-18-オ）

Aに対してBへの所有権の移転の登記手続を命ずる確定判決に基づき、Bが単独で当該所有権の移転の登記を書面申請の方法により申請する場合には、添付情報として提供する判決書の正本に当該判決の確定証明書及びAへの送達証明書を添付しなければならない。

076 □□□ 平6-21-1（平13-26-ウ、平22-24-オ）

A名義の所有権保存登記がされている不動産について、Aに対して所有権保存登記の抹消登記を命じる判決を得たBは、その判決に基づいて、単独でAの所有権保存登記の抹消の申請をすることができる。

○ 073

登記申請の意思表示の擬制の効力は、判決確定の時（又は調書等の債務名義の成立の時）に生ずる（民執177Ⅰ本文）。しかし、①債務者の意思表示が権利者の反対給付に係る場合、②債務者の意思表示が権利者の証明すべき事実の到来に係る場合、③債務者の意思表示が債務者の証明すべき事実のないことに係る場合には、判決が確定した時ではなく、執行文を受けた時に意思表示の擬制の効力が生ずる（民執177Ⅰ但書）。

× 074

判決によって所有権移転の登記を申請する場合は、登記義務者の申請意思を担保するための書面である登記識別情報を記載した書面及び印鑑証明書の添付を要しない（22、不登令8Ⅰ但書）。これに対し、登記名義人となる者の住所を証する市町村長、登記官その他の公務員が職務上作成した情報の提供は必要である（不登令別表30項添ハ、昭37.7.28民甲2116号参照）。

× 075

判決に基づき登記を申請する場合、執行力のある確定判決の判決書正本の添付を要する（不登令7Ⅰ⑤ロ（1））。この点、判決書の正本には必ず確定証明書を添付しなければならないが、送達証明書の添付は要しない。

○ 076

虚偽名義の所有権保存登記について、真実の所有者が虚偽の登記名義人に対して抹消登記を命じる判決を受けたときは、その真実の所有者は単独でその所有権保存登記の抹消登記を申請することができる（昭28.10.14民事甲1869号）。

077 □□□ 平5-14-オ (平9-13-エ、平12-26-4、平15-13-3、平19-15-ウ、平22-24-ア)

甲名義の不動産について、甲から乙への所有権移転登記手続を命ずる判決が確定した後、乙への移転登記前に乙が丙に当該不動産を贈与した場合、丙は乙の承継人として承継執行文の付与を受けて、直接甲から丙への所有権移転登記の申請をすることができる。

078 □□□ 平15-13-1 (平元-20-4、平19-15-オ、平26-16-オ)

Ａ所有の不動産を買い受けたＢは、Ａに対して売買を原因とする所有権移転登記手続を命ずる確定判決を得た。その後、Ｃが、Ａから当該不動産を買い受け、売買を原因とする所有権移転登記をした。この場合、Ｂは、Ｃに対する承継執行文の付与を受け、所有権移転登記を申請することができる。

079 □□□ 平10-18-ウ (平19-15-イ、平25-18-ア)

口頭弁論終了後その判決による登記申請がされるまでの間に、登記権利者について包括承継又は特定承継があっても、申請書に承継執行文を添付する必要はない。

080 □□□ 平12-26-5

Ａ所有の不動産についてＢへの所有権移転の登記を命ずる判決が確定した後、その判決に基づく登記の申請をする前に、Ａが死亡し、ＡからＣへの相続による所有権移転の登記がされている場合、Ｂは、この判決にＣに対する承継執行文の付与を受けて、ＣからＢへの所有権移転の登記を申請することができる。

× 077

本肢の登記申請は受理すべきではないとされている（昭44.5.1民甲895号）。甲から丙へ直接所有権移転の登記をすることは中間省略登記となるからである。

× 078

実体上固有の権利を有する者（本肢では民法177条の第三者）は、民事訴訟法115条1項3号の「口頭弁論終結後の承継人」には含まれない（最判昭41.6.2等）。

○ 079

例えば、甲から乙へ所有権移転登記手続を命ずる裁判の口頭弁論終結後に、登記権利者乙について丙に対する包括承継又は特定承継が生じた場合、丙は、承継執行文の付与を受けなくても、乙に対する登記申請をすることができる。

○ 080

AからCへの相続登記の登記原因とCからBへの所有権移転登記の原因を相互に見ることによって相続登記が誤ってされたものであることが分かるので、CからBへの所有権移転の登記を申請することができる（昭37.3.8民甲638号）。

081 ☐☐☐   平25-18-イ

AからBへの売買を原因とする所有権の移転の登記がされた後、Aが死亡した場合において、当該売買が錯誤によって取り消されたときは．Aの共同相続人の一人であるCは、単独で、Bに対する所有権の移転の登記の抹消の登記手続を命ずる確定判決を得て、当該所有権の移転の登記の抹消を申請することができる。

082 ☐☐☐   平10-18-エ（平21-12-オ）

未登記の国有地について、Aが国に対し時効取得を原因とする所有権移転登記手続訴訟に勝訴した場合、Aは、その判決正本を代位原因を証する情報として、国名義の所有権保存登記の申請をすることはできない。

083 ☐☐☐   平12-15-ア（平24-15-イ）

売主である公団が敷地権付区分建物を売却し、その売却代金債権を被担保債権として抵当権を設定した場合、公団は、抵当権設定登記請求権を代位原因として、代位によって買主名義への所有権保存の登記を嘱託することができる。

084 ☐☐☐   平21-12-ウ

債務者の相続人である未成年者に法定代理人がいない場合、債権者は、当該未成年者に代位して、相続による所有権の移転の登記を申請することができない。

085 ☐☐☐   平10-18-ア

債権者は、詐害行為取消請求訴訟で勝訴判決を得たときは、登記権利者である債務者に代位して、所有権移転登記の抹消の申請をすることができる。

○ **081**

ある不動産の共有者の一人が、その持分に基づき、当該不動産につき登記記録上の所有権登記名義人であるものに対して、その登記の抹消を求めることは、妨害排除の請求に他ならず、いわゆる保存行為に属する。そのため、共同相続人の一人は単独で当該登記の抹消を求めることができる（最判昭31.5.10）。

× **082**

債権者が債務者所有の未登記不動産の所有権を取得した場合は、その未登記不動産の所有権保存登記を代位により申請することができる（昭23.9.21民甲3010号参照）。これは、債務者が国であっても同様である。

× **083**

本肢の代位登記は認められていない。買受人が所有権保存登記をしないときでも、表題部所有者は、自ら74条1項に基づく所有権保存登記を申請することができるためである（昭63.1.19民三甲325号）。

× **084**

債権者は、債務者の相続人が法定代理人のいない未成年者であっても、これに代位して、相続による所有権の移転の登記を申請することができる（昭14.12.11民甲1359号）。

○ **085**

詐害行為取消しの判決が確定した場合には、その確定判決を登記原因を証する情報及び代位原因を証する情報として、債務者に代位して債権者が単独で所有権移転登記の抹消を申請することができる（昭38.3.14民甲726号参照）。

Aが所有権の登記名義人である甲土地について、AからB、Bから
Cへの所有権の移転の登記がされた後、Aが、B及びCを相手方
として所有権の確認並びにB及びCに対する所有権の移転の登記
の抹消を求める訴えを提起し、これらの請求を認容する判決が確
定したときは、Aは、Bに代位してBからCへの所有権の移転の登
記の抹消を申請し、次いでAからBへの所有権の移転の登記の抹
消を申請することができる。

土地の買主から賃借権の設定を受けた賃借権者は、当該賃借権に
ついて登記をする旨の特約がなくても、当該買主に代位して、土
地の売主と共同して当該土地の所有権の移転の登記を申請するこ
とができる。

抵当権者は、債務者の住所に変更が生じた場合には、抵当権設定
者である所有権の登記名義人に代位して、債務者の住所の変更の
登記を単独で申請することができる。

根抵当権設定者の根抵当権者に対する元本の確定請求によって元
本が確定した後、当該根抵当権の被担保債権を代位弁済した者は、
根抵当権者に代位して、元本の確定の登記を単独で申請すること
ができる。

○ **086**

AからB、BからCへと順次所有権の移転の登記がされている場合において、Aが、B及びCを被告として、所有権を確認し並びに各所有権の移転の登記の抹消を命ずる確定判決を得たときは、Aは、Bに代位してBからCへの所有権の移転の登記の抹消を申請し、次いで、AからBへの所有権の移転の登記の抹消を申請することができる（昭43.5.29民甲1830号）。

✕ **087**

賃借人は、当該賃借権について登記をする旨の特約のない限り登記請求権を有しておらず、賃貸人は、当然には登記義務を負わない（大判大10.7.11）。そのため、当該賃借権者は、当該買主に代位して、当該売買による所有権の移転の登記を申請することはできない。

✕ **088**

登記義務者に代位することになるので、認められない（昭36.8.30民三717号）。

✕ **089**

元本の確定の登記手続を命ずる判決を得なければ、根抵当権者に代位して、元本確定の登記を単独で申請することはできない（昭55.3.4民三1196号）。

土地に対する滞納処分による差押えの登記の前提として、県が相続人に代位して当該土地につき相続を登記原因とする所有権の移転の登記を嘱託し、当該登記が完了したときは、登記官は、被代位者である当該相続人に対し、登記識別情報を通知しなければならない。

土地に対する滞納処分による差押えの登記の前提として、県が相続人に代位して当該土地につき相続を登記原因とする所有権の移転の登記を嘱託し、当該登記が完了したときは、登記官は、被代位者である当該相続人に対し、当該登記が完了した旨を通知しなければならない。

仮登記権利者は、仮登記義務者の仮登記申請に関する承諾書を代位原因証明情報として、仮登記義務者である所有権の登記名義人の氏名等の変更の登記を代位申請することができる。

詐害行為を理由とする抵当権設定の登記の抹消請求訴訟において、共同原告のうち甲のみについて勝訴の判決が確定した場合、他の共同原告につき訴訟が係属中であっても、甲は、その確定判決を登記原因証明情報及び代位原因を証する情報として、当該不動産の所有者に代位して抵当権設定の登記の抹消を申請することができる。

× 090

代位によって申請がされた場合、その登記をすることによって登記名義人となる者であっても自ら申請人として申請していない者に対しては、登記識別情報は通知されない（21参照）。

○ 091

民法423条の規定に基づく登記が完了した場合、被代位者に対し、登記が完了した旨を通知しなければならない（不登規183Ⅰ②）。

○ 092

本肢の仮登記申請に関する承諾書には、仮登記権利者が単独申請することについての仮登記義務者の承諾の意思が陳述されていることから、これをもって、仮登記請求権の存在を認定することができる。したがって、仮登記義務者の仮登記申請に関する承諾書を代位原因を証する情報として、当該登記を代位申請することができる。

○ 093

複数の債権者が共同で詐害行為取消権を行使した場合でも、共同原告のうちの一人についてのみ勝訴の判決が確定することもある（民訴39）。その場合には、勝訴した債権者は他の共同原告の控訴の結果いかんにかかわらず、その判決に基づいて抵当権設定登記の抹消登記を申請することができる（民425参照、昭35.5.18民甲1118号）。

債務者がした抵当権の設定行為が詐害行為に当たるとして、これを取り消し、抵当権の設定の登記の抹消手続を抵当権者に命ずる確定判決を得た債権者は、抵当権設定者である所有権の登記名義人に代位して、抵当権の設定の登記の抹消を単独で申請することができる。

不動産の売主が買主に対して当該不動産の売買代金債権以外の債権を有している場合であっても、売主は、買主に代位して、当該売買による所有権の移転の登記を申請することができない。

買戻しの特約の付記登記がされているAからBへの所有権の移転の登記及びCを抵当権者とする抵当権の設定の登記がされている甲土地について、当該抵当権の担保不動産競売開始決定に基づく差押えの登記がされている場合には、Cは、Bに代位して、Aと共同して買戻しの特約の登記の抹消を申請することができる。

受託者Aが信託財産である金銭をもってBから甲土地を買い受け、甲土地が信託財産に属することとなったにもかかわらず、甲土地について売買を原因とする所有権の移転の登記のみを申請し、信託の登記を申請しない場合には、委託者Cは、Aに代位して、Bと共同して信託財産の処分による信託の登記を申請することができる。

094 ○

債務者がした抵当権の設定行為が詐害行為に当たるとして、詐害行為取消の判決が確定した場合には、その確定判決の判決書を、登記原因を証する書面及び代位原因を証する書面として、債権者は、抵当権設定者である所有権登記名義人に代位して、抵当権の抹消を単独で申請することができる（昭38.3.14民甲726号）。

095 ×

不動産の売主が当該不動産の売却代金債権以外に買主に対し債権を有する場合、買主が所有権移転の登記の申請に協力しないときは、売主は債権者として、買主に代位してその登記を申請することができる（昭24.2.25民甲389号）。

096 ○

不動産に抵当権の実行による担保不動産競売開始決定に基づく差押えの登記がされている場合、抵当権者は所有権の登記名義人に代位して、買戻権者と共同して買戻しの特約の登記の抹消を申請することができる（平8.7.29民三1368号）。

097 ×

受託者が所有権の移転の登記のみを申請し、信託の登記を申請しない場合、受益者又は委託者は、受託者に代わって信託の登記を申請することができる（99）。そして、この場合、信託の登記は単独申請によってする（98Ⅱ）。

総論

❷ 登記の申請手続全般

１筆の土地を要役地として、所有者を異にする数筆の土地を承役地とする地役権設定の登記の申請は、承役地の所有者ごとに各別にしなければならない。

同一の当事者間において一つの契約でされた複数の不動産についての賃借権の設定の登記を申請する場合において、不動産ごとに賃料が異なるときは、賃借権の設定の登記の申請は、一の申請情報によってすることができない。

契約解除を登記原因とする所有権の移転の仮登記の抹消の申請と当該仮登記に基づく所有権の移転の本登記の抹消の申請は、一の申請情報によってすることができる。

同一の登記所の管轄区域内にあるＡ所有の甲土地及びＢ所有の乙土地について、Ｃを仮登記の登記権利者とし、代物弁済の予約を仮登記原因とする所有権移転請求権の仮登記は、一の申請情報によって申請することができる。

○ **098**

1筆の土地を要役地とし、所有者を異にする数筆の土地を承役地とする地役権設定の登記は、その設定が同一の契約でされたとしても、当該契約は、要役地所有者と各承役地所有者との間の各別の契約であって、登記原因を異にするものであるから、その登記申請は、承役地の所有者ごとに各別に申請すべきである（不登規35参照、昭33.2.22民甲421号）。

× **099**

数個の不動産に関する賃借権設定の登記を申請する場合、登記原因及びその日付並びに申請当事者が同一であるときは、賃料・存続期間が異なる場合であっても、一の申請情報によって申請することができる（登研463-85）。

○ **100**

契約解除を登記原因とする仮登記の抹消登記及び当該仮登記に基づく本登記の抹消登記は、一の申請情報によって申請することができる（昭36.5.8民甲1053号）。

× **101**

債務不履行を停止条件とする代物弁済予約による所有権移転請求権保全の仮登記を申請する場合、当該債務者の所有不動産と、物上保証人の所有不動産について一件の登記申請書ですることはできない（登研137-44）。

Ａが所有権の登記名義人である甲土地と乙土地とが同一の登記所の管轄区域内にある場合において、権利者並びに根抵当権の設定の登記原因及びその日付が同一であるときは、Ａは、当該権利者と共同して、甲土地及び乙土地を目的とする根抵当権の設定の仮登記の申請を一の申請情報によってすることができる。

根抵当権の設定者である株式会社が破産手続開始の決定を受けた場合には、当該根抵当権の元本の確定の登記と当該根抵当権の代位弁済による移転の登記とは、一の申請情報によって申請することができる。

信託の終了による不動産の所有権移転の登記の申請と信託の登記の抹消の申請は、一の申請情報によってしなければならない。

信託財産に属する不動産に関する権利が受託者の固有財産となった場合には、信託の登記の抹消と当該権利の変更の登記とは、一の申請情報によって申請しなければならない。

× **102**

数個の不動産を目的とする根抵当権設定の仮登記の申請は、同一の申請情報ですることができない（昭48.12.17民三9170号）。

× **103**

根抵当権設定者である法人が破産手続開始の決定を受けた場合、代位弁済による根抵当権の移転の登記の前提として元本確定の登記をしなければならない（昭54.11.8民三5731号）。この場合、元本確定の登記と根抵当権移転の登記は一の申請情報によってすることはできない。

○ **104**

信託財産である不動産が信託の終了により信託財産でないものとなった場合、信託登記の抹消を申請することになるが、この場合、信託登記の抹消の申請と所有権移転の登記申請とは一の申請情報によってすることを要する（不登令5Ⅲ）。

○ **105**

信託財産に属する不動産に関する権利が受託者の固有財産となった場合には、信託の登記の抹消と当該権利の変更の登記とは、一の申請情報によってしなければならない（平19.9.28民二2048号）。

106 　　　　　　　　　　　　　平9-27-イ（平27-20-エ）

甲不動産がA、B及びCの共有（持分は各3分の1）に属し、その
旨の登記がされている場合、Aの持分の放棄を原因とするB及び
Cへの持分の移転の登記の申請は、同一の申請情報によってしな
ければならない。

107 　　　　　　　　　　　　　　　　　　平12-12-ア

元本確定前の根抵当権につき、相続による債務者の変更登記と指
定債務者の合意の登記とは、一の申請情報で申請することができ
る。

108 　　　　令3-18-エ（平18-19-ウ、平27-20-ウ）

相続財産である不動産について共同相続人間で共有物不分割の特
約がされた場合において、当該不動産について相続による所有権
の移転の登記を申請するときは、共有物不分割の定めの登記の申
請と同一の申請情報によってすることができる。

109 　　　　　　　　　　　　　　　　　　平18-19-オ

同一の登記所の管轄区域内にある甲土地及び乙土地についての登
記に関して、A単有名義の甲土地とAB共有名義の乙土地とがある
場合において、Aが住所を移転した場合の、甲土地の所有権及び
乙土地のA持分について申請する登記名義人の住所についての変
更の登記は一の申請情報によって申請することができない。

× **106**

Aが放棄した持分につき、B及びCへの持分移転の登記申請を一つの申請情報によってすることも可能であるが、Bに帰属した持分についてはAとBの共同申請により、Cに帰属した持分についてはAとCの共同申請により各別に登記申請をすることも可能である（昭37.9.29民甲2751号参照）。

× **107**

相続による債務者の変更登記と指定債務者の合意の登記を、一の申請情報で申請することはできない。両者は、登記原因が異なるため（前者は「年月日相続」、後者は「年月日合意」）、一の申請情報で申請することは妥当ではないからである。

× **108**

共同相続人間で共有物不分割特約をした場合、相続の登記申請と別件で、共有物不分割特約の所有権の変更の登記を申請することとなる（昭49.12.27民三6686号）。

× **109**

同一の登記所の管轄区域内にあるA名義の甲土地の所有権及びAB共有名義の乙土地のA持分について、Aが住所を移転したことによる登記名義人の住所についての変更登記は一の申請情報によって申請することができる（不登令4但書、不登規35⑧）。

110

登記記録上の住所が同一である共有者が、同時に同一の住所に移転した場合には、当該共有者である登記名義人の住所についての変更の登記の申請は、一の申請情報によってすることができる。

111

A及びBが所有権の登記名義人である土地について、Aが住所を移転し、後日、当該住所にBも住所を移転した場合は、Aの住所についての変更の登記とBの住所についての変更の登記は一の申請情報により申請することができる。

112

所有権の登記名義人の氏名の記録に錯誤がある場合において、当該登記名義人が住所を移転したときは、錯誤による氏名についての更正の登記と住所移転による住所についての変更の登記とは、一の申請情報によって申請することができる。

113

A及びBが所有権の登記名義人である土地について、前主からA及びBへの所有権の移転の登記をする際にAの住所とBの住所とを誤って逆に登記していたことが判明した場合は、A及びBの各住所についての更正の登記は一の申請情報により申請することができる。

114

意思能力を有する未成年者は、親権者の同意を得て自己所有の不動産を売却した場合には、登記申請につき親権者の同意を得ずに、買主と共同して所有権移転登記を申請することができる。

○ **110**

登記記録上の住所が同一である共有者が、同時に同一の住所に移転した場合、当該共有者である登記名義人の住所変更の登記は、一の申請情報によって申請することができる（登研409-85）。

✕ **111**

本肢の場合、AとBの住所移転の日付が異なるため、一の申請情報により申請することはできない。

○ **112**

住所の移転についての変更の登記及び氏名の錯誤についての更正の登記を同一の申請書で申請することができる（昭42.7.26民三794号）。

○ **113**

土地の登記名義人をA及びBとする所有権の移転の登記の際に、申請人の錯誤によって、AについてはBの住所、BについてはAの住所が登記された場合、便宜両名義人の住所の更正の登記を一の申請情報により申請することができる（昭38.9.25民甲2654号）。

○ **114**

登記申請行為については行為能力を要求されていないので、意思能力を有する未成年者は、登記申請につき親権者の同意を得ずに、買主と共同して所有権移転登記を申請することができる（登研425-125）。

被相続人が生前に売却した不動産について、唯一の相続人は、相続の放棄をした後も、買主と共同して所有権移転登記を申請することができる。

遺言者の財産が生前に売却されていたにもかかわらず、その所有権の移転の登記がされていなかった場合において、遺言がある特定の者への包括遺贈を内容とするものであったときは、当該遺言の遺言執行者は、買主との共同申請により、所有権の移転の登記の申請をすることができる。

Ａを所有権の登記名義人とする不動産につき、Ａを売主、Ｂを買主とする売買契約が締結された後、その旨の登記を申請する前にＡが死亡し、Ａの相続人がＸ及びＹであった場合において、Ｘが民法第903条第２項によりその相続分を受けることのできない特別受益者であっても、Ｂ及びＹのみでは共同して所有権の移転の登記を申請することができない。

ＡからＢに対する所有権の移転の登記と同時に買戻しの特約の登記がされた後、ＢからＣに当該不動産が転売され、所有権の移転の登記がされた場合において、買戻しの期間が経過したときにおける当該買戻しの特約の登記の抹消の申請は、買戻しの特約の登記をしたときの所有権の登記名義人であるＢと現在の登記名義人であるＣのいずれもが登記権利者となることができる。

✕ 115

相続放棄をした者は、その相続に関しては、初めから相続人とならなかったものとみなされるので（民939）、当該登記申請義務を承継しない。

✕ 116

遺言がある特定の者への包括遺贈を内容とするものであった場合、当該遺言の遺言執行者は、包括遺贈者が生前に売却しその移転登記が未了である不動産の所有権移転登記の申請代理権を当然に有するものではない（昭56.9.8民三5484号）。

○ 117

登記申請義務を有する者が登記未了のうちに死亡した場合は、登記義務は不可分に相続人に承継されるため、登記義務者の相続人は全員共同で登記申請義務を履行すべきである。そして、その相続人が特別受益者であっても、被相続人が生前売り渡した不動産については、その所有権の移転の登記の申請義務を負う（登研194-73）。

✕ 118

売主Aから買戻しの特約付きの売買による所有権移転登記をした買主Bが、更にCに転売してBからCへの所有権の移転の登記がされた後に、当該買戻しの特約の登記を抹消する場合の申請人は、登記義務者がA、登記権利者がC（現所有者）である（登研364-80）。

119 □□□ 　　　　　　　　　　　　　　　平31-16-イ

権利能力なき社団であるA社団の構成員全員に総有的に帰属する甲土地について、その所有権の登記名義人がA社団の代表者であるBであったところ、A社団がCから金銭を借り入れ、その貸金債権を担保するためにCを抵当権者とする抵当権を甲土地に設定した場合において、当該抵当権の設定の登記を申請するときは、債務者としてA社団の名称を申請情報の内容とすることができる。

120 □□□ 　　　　　　　　　　　　　　　平28-12-エ

Aが賃借権の登記名義人である甲土地について、Aが所有権を取得したことによって当該賃借権が混同により消滅した後、Aの賃借権の登記が抹消されない間にAからBへの売買による所有権の移転の登記がされたときであっても、Aは、単独で混同を登記原因とする賃借権の登記の抹消を申請することができる。

121 □□□ 　　　　　平3-20-5（平10-24-エ、平27-16-ア）

甲が単独で丙から譲り受けたのに、誤って甲・乙共有名義でなされた所有権移転登記について、乙及び丙を登記義務者、甲を登記権利者とし、錯誤を登記原因として、甲の単独所有名義とする更正の登記を申請することができる。

122 □□□ 　　　　　　　　　平11-13-4（平22-13-オ）

甲土地について、所有者Aが死亡し、子B・Cの共同名義による法定相続の登記がされた後に、Bに甲土地を相続させる旨の公正証書遺言が発見された場合、Cを登記義務者として所有権更正登記を申請することはできない。

○ **119**

権利能力なき社団を債務者として、抵当権の設定の登記を申請することができる（昭31.6.13民甲1317号）。

× **120**

混同により消滅した賃借権の登記の抹消が未了の間に、当該不動産が第三者に移転した場合、現在の所有権の登記名義人である第三者は、賃借権の登記名義人と共同して当該賃借権の登記の抹消を申請する（昭30.2.4民甲226号参照）。

○ **121**

甲・乙共有名義の所有権移転登記を甲単有名義に更正する登記を申請する場合は、登記権利者は甲、登記義務者は乙及び前所有権登記名義人（本肢においては丙）となる。

× **122**

被相続人名義の不動産について共同相続登記がされた後、相続人の一人に当該不動産を相続させる旨の遺言書が発見された場合には、共同相続登記の一部が誤っていたことになるので（是正前後の同一性あり）、所有権更正登記を申請する（平2.1.20民三156号）。

123 ☐☐☐ 平11-13-5

甲土地について、所有者Aが死亡し、子B・Cの共同名義による法定相続の登記がされた後に、Cが相続分を超える生前贈与を受けていたことが判明した場合、Cを登記義務者として所有権更正登記を申請することはできない。

124 ☐☐☐ 平19-14-イ

Aを所有権の登記名義人とする不動産につき、Aを売主、Bを買主とする売買契約が締結された後、その旨の登記を申請する前にAが死亡した場合において、当該売買契約の締結前に、Aが当該不動産をZに遺贈する旨の遺言を残していたときは、Aの相続人全員とZとは、共同してAからZへの所有権の移転の登記を申請することができる。

125 ☐☐☐ 平18-20-ウ

破産管財人が裁判所の許可を得て破産財団に属する不動産を任意に売却した場合には、破産管財人は、単独で、その不動産についてされている破産手続開始の登記の抹消を申請することができる。

126 ☐☐☐ 平22-22-イ

根抵当権の優先の定めの登記は、当該根抵当権の登記名義人が共同して申請する。

× **123**

共同相続人の一人が生前贈与により相続分不存在であるにもかか
わらず、その相続分のない者と他の共同相続人との共同相続登記
がされた場合には、当該共同相続登記を相続分のない者を除く他
の相続人の相続登記に更正することができる。

× **124**

Aは、不動産を遺贈する旨の遺言をした後、当該不動産について
売買契約という遺言に抵触する行為をしているため、遺言は撤回
されたものとみなされる（民1023Ⅱ参照）。

× **125**

破産管財人が裁判所の許可を得て破産財団に属する不動産を任意
に売却した場合、破産手続開始の登記の効果が失われるため、破
産管財人の申立てにより、裁判所書記官が当該破産手続開始の登
記の抹消の嘱託をする（平16.12.16民二3554号）。

○ **126**

根抵当権の優先の定めの登記の申請は、当該根抵当権の登記名義
人が共同して申請しなければならない（89Ⅱ）。

Ａ・Ｂが根抵当権者である共有根抵当権につき、Ａだけの債権の範囲を変更する登記の申請は、根抵当権設定者及びＡが共同してしなければならない。

根抵当権者による元本の確定請求があったことを原因とする元本の確定の登記を共同して申請する場合には、根抵当権者を登記権利者、根抵当権設定者を登記義務者としてする。

Ａが所有権の登記名義人である甲土地について、Ｂを地上権者、地代を１平方メートル１年１万円とする地上権の設定の登記がされた後、錯誤を登記原因として、地代を１平方メートル１年１万5,000円とする地上権の更正の登記を申請するときは、Ａを登記権利者、Ｂを登記義務者としなければならない。

不動産の買主が所有権の移転の登記を受けないまま死亡し、その共同相続人の一人が遺産分割協議に基づいて当該不動産を取得した。この場合には、当該共同相続人の一人は、売主と共同して、自己を登記権利者、当該売主を登記義務者として、所有権の移転の登記の申請をすることができる。

× 127

共有根抵当権者のうちの一人のみの債権の範囲の変更は、根抵当権全体の変更であるため、根抵当権の共有者全員と設定者が変更契約をして、その旨の登記申請も根抵当権の共有者全員と設定者が共同してすることを要する（昭46.10.4民甲3230号、登研524-167）。

× 128

根抵当権の元本確定の登記は、根抵当権者が登記義務者、根抵当権設定者が登記権利者となって申請する（昭46.10.4民甲3230号）。

○ 129

地上権の更正登記は、当該更正によって利益を受ける者（本肢の場合、地代の増える設定者Ａ）を登記権利者、当該更正によって不利益を受ける者（地代の負担が増える地上権者Ｂ）が登記義務者となって申請する。

× 130

売買を原因とする登記が未了の間に買主が死亡し、その共同相続人の一人が遺産分割協議に基づいて当該不動産を取得した場合、売主から直接当該共同相続人の一人の名義に所有権の移転登記の申請をすることはできない（登研308-77参照）。

131 □□□ 平17-12-イ

不動産に抵当権を設定した者が抵当権の設定の登記をしないまま死亡した。この場合には、抵当権者は、抵当権設定者の共同相続人全員と共同して、自己を登記権利者、当該抵当権設定者を登記義務者として、抵当権の設定の登記の申請をすることができる。

132 □□□ 平17-12-ウ

「遺言執行者は、遺言者名義の不動産を売却し、その代金から負債を返済し、その残額を受遺者に遺贈する」旨の記載のある遺言書に基づき、遺言執行者が当該不動産を売却した。この場合には、当該不動産の買主は、当該遺言執行者と共同して、自己を登記権利者、遺言者を登記義務者として、所有権の移転の登記の申請をすることができる。

133 □□□ 平17-12-エ

売買による所有権の移転の登記がされた後に売主が死亡したが、当該売買は、無効であった。この場合には、当該売主の共同相続人の一人は、買主と共同して、当該売主を登記権利者、当該買主を登記義務者として、当該所有権の移転の登記の抹消を申請することができる。

134 □□□ 平20-24-オ

遺言者が甲不動産を相続人A及びBにそれぞれ2分の1ずつ相続させる旨の遺言をし、かつ、遺言執行者を指定した場合、遺言執行者は、A及びBを代理して、A及びBの共有名義にするための所有権の移転の登記の申請をすることができる。

○ **131**

抵当権設定登記未了のまま抵当権設定者が死亡した場合には、抵当権者は、当該設定者の共同相続人全員と共同して、抵当権の設定登記の申請をすることができる（登研545-154）。

× **132**

「遺言執行者は、遺言者名義の不動産を売却し、その代金から負債を返済し、その残額を受遺者に遺贈する」旨の記載のある遺言書に基づき、遺言執行者が当該不動産を売却した場合には、買主のための所有権移転登記を申請する前提として、相続による所有権移転登記を申請する必要がある（昭45.10.5民甲4160号）。

○ **133**

無効である売買契約による所有権移転登記がされた後に、売主が死亡した場合には、当該売主の共同相続人の一人は保存行為として、買主と共同して、当該所有権移転登記を抹消することができる（民252Ⅴ）。

○ **134**

遺産の分割方法の指定として遺産に属する特定の財産を共同相続人の一人又は数人に承継させる旨の遺言（特定財産承継遺言）があったときは、遺言執行者は、当該共同相続人が民法899条の2第1項に規定する対抗要件を備えるために必要な行為をすることができる（民1014Ⅱ）。

135 □□□　　　　　　　　　　　　　　　　　平18-20-ア

相続人以外の第三者に財産の全部を包括して遺贈する旨の遺言書を作成した遺言者が死亡した場合には、包括受遺者は、当該遺言書を提供して、単独で、当該遺言者名義の不動産について所有権の移転の登記を申請することができる。

136 □□□　　　　　　　　　　　　　　　　　令4-20-エ

相続人以外の者に対する不動産の遺贈がされた場合において、遺言執行者があるときは、遺贈を受けた者は、遺言執行者と共同して、遺贈を原因とする当該不動産の所有権の移転の登記を申請することができる。

137 □□□　　　　　　　　　　　　　　　　　令6-13-ウ

Ａを登記名義人とする地上権の設定の登記がされている甲土地について、Ａが当該地上権をＡの相続人であるＢに遺贈する旨の遺言書を作成した場合において、その後、Ａが死亡したときは、Ｂは、単独で、遺贈を登記原因とするＡからＢへの地上権の移転の登記を申請することができる。

138 □□□　　　　　　　　　　　　　　　　　平20-12-エ

地上権者の死亡により地上権が消滅する旨の登記がされている地上権について、地上権者が死亡した場合は、その地上権の登記の抹消の申請は、その死亡を証する情報を提供して、所有権の登記名義人が単独ですることができる。

× | **135**

包括遺贈であるか特定遺贈であるかを問わず、遺贈を原因とする権利の移転の登記は、原則として共同申請による（60）。ただし、相続人に対する遺贈に限り、登記権利者である受遺者が単独で申請することができる（63Ⅲ）。

○ | **136**

相続人以外の者に対する遺贈による所有権の移転の登記は、受遺者と遺言執行者又は相続人の共同申請による（63Ⅲ参照、昭33.4.28民甲779号）。

× | **137**

相続人に対する遺贈による所有権の移転の登記は、不登法60条の規定にかかわらず、登記権利者が単独で申請することができる（63Ⅲ）。しかし、当該規定は、遺贈を登記原因とする地上権の移転の登記については適用されないため、当該登記は登記権利者及び登記義務者が共同してしなければならない（60）。

○ | **138**

地上権者の死亡により地上権が消滅する旨の登記がされている地上権につき、当該地上権者が死亡した場合、地上権の登記の抹消の申請は、その死亡を証する情報を提供して所有権の登記名義人が単独で申請することができる（69）。

139 ☐☐☐　　　　　　　　　　　　　　　　　　平20-12-ウ

信託の受託者が2人以上ある場合において、そのうちの1人の任務がその後見の開始により終了したときにおける信託財産に属する不動産についての権利の変更の登記の申請は、後見開始決定があったことを証する情報を提供して、他の受託者が単独ですることができる。

140 ☐☐☐　　　　　　　　　平18-20-イ（平4-29-ウ、平21-27-イ）

抵当証券が発行されている場合において、債務者の住所に変更があったときは、債務者は、債務者の住所について変更があったことを証する情報を提供して、単独で、債務者の住所についての変更の登記を申請することができる。

141 ☐☐☐　　　　　　　　　　　　　　平28-12-オ（平4-29-5）

甲土地に設定された根抵当権の元本が確定した場合において、根抵当権設定者が根抵当権の元本の確定の登記手続に協力しないときは、根抵当権者は、根抵当権設定者に対して根抵当権の元本の確定の登記手続を命ずる確定判決を得て、単独で根抵当権の元本の確定の登記を申請することができる。

142 ☐☐☐　　　　　　　　　　　　　　　　　　平18-20-エ

根抵当権設定者が破産手続開始の決定を受けた場合において、その根抵当権の取得の登記の申請と併せて申請するときは、根抵当権の登記名義人は、根抵当権設定者について破産手続開始の決定があったことを証する情報を提供して、単独で、根抵当権の元本の確定の登記を申請することができる。

○ **139**

受託者が2人以上ある場合、少なくとも1人の受託者の任務がその後見の開始により終了したときは、信託財産に属する不動産についてする当該受託者の任務の終了による権利の変更の登記は、後見開始決定があったことを証する情報を提供して、他の受託者が単独で申請することができる（100Ⅱ）。

○ **140**

抵当権の登記事項である債務者の住所に変更が生じた場合の抵当権変更登記は、原則として、抵当権者を登記権利者、設定者を登記義務者とする共同申請による（60）。しかし、抵当証券が発行されている場合には、債務者の単独申請によることができる（64Ⅱ）。

○ **141**

根抵当権設定者が根抵当権の元本確定の登記手続に協力しないときは、根抵当権者は、根抵当権設定者に対して根抵当権の元本の確定の登記手続を命ずる判決を得て、単独で当該元本確定の登記を申請することができる（昭54.11.8民三5731号）。

○ **142**

根抵当権設定者が破産手続開始の決定を受けた場合において、その根抵当権の取得の登記の申請と併せて申請するときは、根抵当権の登記名義人は、根抵当権設定者について破産手続開始の決定があったことを証する情報を提供して、単独で、根抵当権の元本の確定の登記を申請することができる（93、民398の20Ⅰ④、不登令別表63項添）。

根抵当権の設定者が元本の確定を請求した場合の根抵当権の元本の確定の登記の申請は、元本の確定請求をしたことを証する情報を提供して、根抵当権者が単独ですることができる。

元本確定前の根抵当権について根抵当権者が元本確定の請求をした場合において、元本確定の登記を根抵当権設定者と共同して申請するときは、元本の確定の請求が配達証明付き内容証明郵便により行われたことを証する情報を提供しなければならない。

譲渡担保を原因とする所有権の移転の登記の抹消の申請は、登記義務者の所在が知れない場合には、被担保債権の弁済期から20年を経過し、かつ、その期間を経過した後に被担保債権、その利息及び債務不履行により生じた損害の全額に相当する金銭を供託したことを証する情報を提供して、譲渡担保権の設定者が単独ですることができる。

× 143

根抵当権者が元本確定登記を単独で申請することができるのは、根抵当権の設定者が元本確定請求（民398の19Ⅰ）をした場合ではなく、根抵当権者が元本確定請求（民398の19Ⅱ）をした場合である（93本文）。

× 144

根抵当権の元本確定の登記については、民法398条の19第2項の規定による請求をしたことを証する書面として、当該請求が配達証明付き内容証明郵便により行われたことを証する書面を申請書に添付する場合には、根抵当権者が単独で申請することができる（不登令別表61項添、平15.12.25民二3817号）。しかし、共同して申請するときは、元本の確定の請求が配達証明付きの内容証明郵便により行われたことを証する情報を提供することを要しない。

× 145

休眠担保権の単独抹消をすることができるのは、先取特権、質権、抵当権に関する登記に限られている（70Ⅳ）。したがって、譲渡担保については、70条4項後段の規定による抹消の対象にはならない。

146 ☐☐☐ 　　　　　　　　　　　平28-12-ア

甲土地の所有権の登記名義人Ａの相続人が配偶者Ｂ並びに子Ｃ及びＤの３名である場合において、Ｅに対して甲土地を包括遺贈する旨のＡの遺言に基づいて登記を申請するときは、Ｅは、単独で相続を登記原因とする甲土地の所有権の移転の登記を申請することができる。

147 ☐☐☐ 　　　　　　　　　平8-19-ウ（平18-20-オ）

敷地権の表示を登記した区分所有建物につきされた売買を原因とする所有権保存の登記の抹消の登記は、所有権保存の登記名義人が単独で申請することができる。

148 ☐☐☐ 　　　　　　　　　　　平13-15-エ

ＡがＢに対し買戻特約付きで土地を売却して所有権移転登記及び買戻特約の登記をした後、ＢがＣに対し当該土地を転売して所有権移転登記をした場合、Ａの買戻権の行使による所有名義回復のための登記の登記義務者はＣである。

149 ☐☐☐ 　　　　　　　　　　　平20-12-イ

買戻しの特約の付記登記がされている所有権の移転の登記を買戻期間内において錯誤により抹消する場合に、当該所有権の移転の登記の抹消と同時にする買戻しの特約の登記の抹消の申請は、錯誤を証する情報を提供して、買戻権者が単独ですることができる。

✕ **146**

相続人以外の第三者を受遺者とする包括遺贈による所有権の移転の登記は、受遺者を登記権利者とし、遺言執行者があるときは遺言執行者、遺言執行者がないときは相続人を登記義務者として共同で申請する（民1012Ⅱ、63Ⅲ参照、昭33.4.28民甲779号）。

○ **147**

所有権保存登記の抹消は、それが74条2項によるものであっても、その所有権の登記名義人が単独で申請することができる（77）。

○ **148**

権利行使の相手方は、現在の所有者である転得者であるとするのが判例（最判昭36.5.30）であり、登記手続上も登記記録上の現在の所有者を登記義務者としている。

✕ **149**

買戻特約の登記の抹消は、原則として買戻権の目的たる権利の現在の登記名義人を登記権利者、買戻権の現在の登記名義人を登記義務者として共同申請で行う（60・69の2・70Ⅳ・Ⅱ参照）。

甲土地について、乙区１番でＡを、乙区２番でＢをそれぞれ抵当権者とする抵当権の設定の登記がされ、乙区３番でＣを根抵当権者とする根抵当権の設定の登記がされている場合において、Ｃの根抵当権を第１順位、Ａの抵当権を第３順位とする順位の変更をするときは、Ｃを登記権利者、Ａを登記義務者として順位の変更の登記を申請することができる。

家庭裁判所が未成年者Ａのために選任した特別代理人Ｂが、Ａを代理して、Ａとその親権者Ｃとの利益が相反する法律行為をした場合であっても、Ｃは、Ａを代理して当該法律行為に基づく登記を申請することができる。

司法書士Ｘが、株式会社の代表取締役Ａから同社を申請人とする登記の申請について委任を受けた場合において、当該委任後にＡが代表取締役を辞任したときは、Ｘは、当該委任に係る登記を申請することができない。

Ａの成年後見人Ｂが、Ａを所有権の登記名義人とする不動産に係る登記を申請する場合には、Ｂの代理権を証する情報として、後見登記等ファイルに記録された事項を証明した書面を提供することができる。

✕ 150

Cを第1順位、Aを第3順位とする順位変更をするときは、登記記録上の順位に変更のないBも含め、A、B及びCが共同して当該順位変更の登記を申請しなければならない（昭46.10.4民甲3230号）。

○ 151

親権者とその親権に服する者との間の法律行為が利益相反行為に該当するため、特別代理人が未成年者を代理して当該行為をした場合、その登記の申請は、親権者又は特別代理人のいずれから申請しても差し支えない（昭32.4.13民三379号）。

✕ 152

登記を申請する者の委任による代理人の権限は、法定代理人の死亡又はその代理権の消滅若しくは変更によっては消滅せず（17④）、ここでいう「法定代理人」には、法人の代表者も含まれる（平5.7.30民三5320号）。

○ 153

成年後見人が登記を申請する場合、当該成年後見人の代理権限を証する情報として、後見登記等ファイルに記録されている事項を証明した書面（後見登記等に関する法律10・登記事項証明書）を提供することができる。

154 □□□

株式会社の代表取締役Ａが同社を代表して不動産の登記を申請した後、当該登記が完了するまでの間に、Ａについて破産手続開始の決定がされたときは、当該申請は却下される。

155 □□□

平2-17-イ（平7-17-イ、平12-25-1）

信託による所有権の移転の登記の申請をする場合において、登記権利者が複数であるときは、申請書にその持分を記載しなければならない。

156 □□□

平27-14-ウ

一棟の建物の名称を申請情報の内容とした場合における敷地権付き区分建物を目的とする抵当権の変更の登記において、一棟の建物の構造を申請情報の内容としなければならない。

157 □□□

平27-14-エ

一筆の土地の全部に設定された抵当権が当該土地の共有者の一人の持分について消滅した場合の抵当権の変更の登記において、債権額を申請情報の内容としなければならない。

158 □□□

平27-14-オ

所有権の移転請求権の仮登記の登記名義人が単独で申請する当該仮登記の抹消において、登記権利者の住所を申請情報の内容としなければならない。

× 154

委任による代理権は、登記申請の受理の時において存在していれば足り、登記の実行の完了の時までに委任の効力が消滅していても、登記の効力には影響はない（大判明36.11.26）。

× 155

信託による所有権の移転の登記の申請をする場合において登記権利者（受託者）が複数であるときは、信託財産は受託者全員の合有となるので、その持分を申請情報の内容とする必要はない（不登令3⑨括弧書、信託79、昭38.5.17民甲1423号参照）。

× 156

建物又は附属建物が区分建物である場合において、当該建物又は附属建物が属する一棟の建物に名称があるときは当該名称が申請情報となる（不登令3⑧ト）。そして、この場合には、一棟の建物の特定ができることから、当該建物又は付属建物が属する一棟の建物の構造及び床面積を申請情報の内容とせずに当該登記を申請することができる（不登令3⑧ヘ括弧書・ト）。

× 157

一筆の土地の全部に設定された抵当権が当該土地の共有者の一人の持分について消滅した場合の抵当権の変更の登記を申請する場合において、債権額は申請情報の内容とならない。

○ 158

所有権の移転請求権の仮登記の登記名義人が単独で申請する仮登記の抹消の登記において、登記権利者の住所は申請情報の内容になる（不登令3⑪イ、昭40.7.17民甲1890号）。

159 ☐☐☐

乙区1番で登記された地上権の持分を売買により取得したＡが、その持分の一部を更にＢに売却した場合に申請する登記の目的は、「1番地上権Ａ持分一部移転」である。

160 ☐☐☐

権利能力のない社団の構成員全員に総有的に帰属する甲建物について、当該社団の代表者であるＡが個人名義で当該建物の所有権の登記名義人となっていたが、平成27年7月1日、Ａに加えて、新たにＢ及びＣが当該社団の代表者に就任した場合、平成27年7月1日委任の終了を登記原因及びその日付で登記の申請をすることができる。

161 ☐☐☐

甲建物の所有権の登記名義人であるＡ及びＢは、平成27年7月1日、同日から5年間は当該建物につき共有物の分割をしない旨の合意をした場合、平成27年7月1日特約を登記原因及びその日付で登記の申請をすることができる。

162 ☐☐☐

採石権の設定登記において、「採石権の譲渡を禁止する旨の定めがあるときは、その定め」及び「採石権の内容又は採石料若しくはその支払時期の定めがあるときは、その定め」は登記事項となる。

○ **159**

地上権の一部の譲渡あるいは共有地上権の持分の譲渡は認められる。この場合は「何番地上権一部移転」あるいは「何番地上権何某持分全部移転」のように記載する（平28.6.8民二386号記録例264）。

○ **160**

権利能力なき社団の所有する不動産について、代表者Aの個人名義で所有権の登記がされている場合において、代表者をA1名からB及びCを加え、3名としたときは、「委任の終了」を登記原因として所有権一部移転の登記を申請することができる（昭53.2.22民三1102号）。そして、当該登記の登記原因日付は、新たな代表者が就任した日である（登研450-127）。

○ **161**

所有権の移転の登記とは別個に共有物不分割の定めの登記をする場合の登記原因は「年月日特約」である（昭49.12.27民三6686号）。そして、当該登記の登記原因日付は、共有者間で共有物不分割の特約についての合意が成立した年月日を記載する。

× **162**

「採石権の譲渡を禁止する旨の定めがあるときは、その定め」は登記事項とならない（82）が、「採石権の内容又は採石料若しくはその支払時期の定めがあるときは、その定め」は登記事項となる（82②）。

163 □□□ 　　　　　　　　　　　　　　　平25-23-2

不動産工事の先取特権の保存登記において、「債務者の氏名又は名称及び住所」及び「利息に関する定めがあるときは、その定め」は登記事項となる。

164 □□□ 　　　　　　　　　　　平5-20-2（平13-25-オ）

地役権設定登記の申請書には、要役地の表示、地役権設定の目的及び範囲、存続期間の定めがあるときはその定めを記載することができる。

165 □□□ 　　　　　　平5-27-ウ（平14-27-イ、平27-14-イ）

地役権設定の登記においては、登記権利者たる地役権者は記録されないので、その設定登記の申請書には、登記権利者の表示の記載を要しない。

166 □□□ 　　　　　　　　　　　　　　　平25-23-4

抵当権の設定登記において、「債権に付した条件があるときは、その条件」及び「抵当権の消滅に関する定めがあるときは、その定め」は登記事項となる。

167 □□□ 　　　　　　　　　　　　　　　平27-15-エ

Aは、平成27年6月1日、Bに金銭を貸し付け、同日、その貸付金を被担保債権とする抵当権を甲建物に設定してその登記名義人となったが、同年7月1日、CがBに無担保で金銭を貸し付け、Aは、同日、Cに対して、当該抵当権のみを譲り渡した場合、平成27年7月1日譲渡を登記原因及びその日付で登記の申請をすることができる。

× 163

「債務者の氏名又は名称及び住所」は登記事項となる（83 I ②）が、「利息に関する定めがあるときは、その定め」は登記事項とならない（83）。

× 164

「存続期間」については地役権設定の当事者が約定することはできるが、登記事項ではないため、申請情報の内容とはされていない。

× 165

地役権の登記が申請されても、承役地の登記記録には登記権利者の氏名又は名称及び住所は記録されない（80 II）。しかし、地役権設定登記の申請構造は地役権者と設定者の共同申請であるから、登記権利者として地役権者の氏名又は名称及び住所を申請情報の内容としなければならない（不登令別表35項）。

○ 166

「債権に付した条件があるときは、その条件」（88 I ③）及び、「抵当権の消滅に関する定めがあるときは、その定め」（59⑤）は登記事項となる。

× 167

抵当権のみの譲渡の登記原因は、「年月日金銭消費貸借年月日譲渡」である。そして、当該登記の登記原因日付は、抵当権者と無担保債権者間の抵当権のみの譲渡契約成立の日であり、どのような債権のために譲渡したかを特定するため、受益債権の発生原因とその日付をも記載する。したがって、本肢の場合、登記原因及びその日付は「平成27年7月1日金銭消費貸借同日譲渡」である。

抵当権の順位変更の登記には、登記事項として登記権利者は記録されない。

質権の登記であっても、抵当権の登記であっても、利息に関する定めがない場合には、その旨を登記する必要がある。

甲土地について、乙区1番でAを、乙区2番でBを、乙区3番でCをそれぞれ抵当権者とする抵当権の設定の登記がされ、乙区4番において、Bの抵当権を第1順位、Cの抵当権を第2順位、Aの抵当権を第3順位とする順位の変更の登記がされている場合において、当該順位の変更の登記に錯誤があるときは、錯誤を登記原因として、当該順位の変更の登記を更正する登記の申請をすることができる。

質権の登記においては、違約金の定めがあるときはその定めを登記することができるが、抵当権の登記においては、違約金の定めがあるときでもその定めを登記することができない。

質権の登記であっても、抵当権の登記であっても、債権に付した条件があるときは、その条件を登記することができる。

○ **168**

抵当権の順位変更の登記を申請する場合、順位変更の合意の当事者全員を申請人として申請情報の内容とするが（89Ⅰ）、登記記録には変更後の順位が記録されるのみで、合意の当事者である申請人は記録されない。

× **169**

質権の登記、抵当権の登記において、利息に関する定めがあるときは、その定めを登記する必要があるが（95Ⅰ②・88Ⅰ①）、定めがないときは、登記する必要はない。

○ **170**

抵当権の順位の変更の登記がされた後、その登記に錯誤又は遺漏があった場合には、錯誤を登記原因として、当該順位の変更の登記を更正する登記の申請をすることができる。

○ **171**

質権の登記において、違約金の定めがあるときはその定めを登記することができるが（95Ⅰ③）、抵当権の登記において、違約金の定めがあっても、登記することはできない（88Ⅰ参照）。

○ **172**

質権の登記、抵当権の登記において、債権に付した条件があるときは、その条件を登記することができる（95Ⅰ④・88Ⅰ③）。

173 □□□　　　　　　　　　　　　平17-22-オ（令4-23-ア）

質権の登記においては、賠償額の定めがあるときはその定めを登記することができるが、抵当権の登記においては、賠償額の定めがあるときでもその定めを登記することはできない。

174 □□□　　　　　　　　　令4-23-オ（平元-31-イ、平5-20-5）

教授：質権又は抵当権について存続期間の定めは登記事項になりますか。

学生：質権の登記と抵当権の登記のいずれについても登記事項にはなりません。

175 □□□　　　　　　　　　　　　　　　　　平14-27-ウ

地上権の区分地上権への地上権変更の登記には、登記事項として登記権利者は記録されない。

176 □□□　　　　　　　　　　　　　　　　　平25-23-3

質権の設定登記において、「存続期間の定めがあるときは、その定め」及び「質権の目的である不動産の用法に従い、その使用及び収益をすることができる旨の定めがあるときは、その定め」は登記事項となる。

177 □□□　　　　　　　　　　　　　　　　　平27-15-ウ

甲建物の賃借権の登記名義人であるＡは、平成27年7月1日、Ｂに対して、当該建物を賃料1か月30万円の約定で転貸することを約した場合、「平成27年7月1日設定」を登記原因及びその日付で登記の申請をすることができる。なお、第三者の許可、同意又は承諾については平成27年7月1日に、それぞれ第三者の許可、同意又は承諾を得ているものとする。

80　LEC東京リーガルマインド　令和7年版　司法書士合格ゾーンポケット判択一過去問肢集
3 不動産登記法Ⅰ

✕ 173

質権の登記、抵当権の登記について賠償額の定めがあるときは、その定めを登記することができる（95 I ③・88 I ②）。

✕ 174

質権の登記において、存続期間の定めがあるときは、その定めは登記事項となるが、抵当権の登記においては、存続期間の定めは登記事項とならない（95 I ①・88 I 参照）。

○ 175

通常の地上権を区分地上権に変更する登記を申請する場合、登記権利者として設定者（所有権登記名義人）を申請情報の内容とするが、登記記録に登記権利者は記録されない。

✕ 176

「存続期間の定めがあるときは、その定め」は登記事項となる（95 I ①）が、「質権の目的である不動産の用法に従い、その使用及び収益をすることができる旨の定めがあるときは、その定め」は登記事項とならない（95 I ⑥、民356）。

✕ 177

登記原因及びその日付は「平成27年7月1日転貸」であり、登記原因及びその日付を「平成27年7月1日設定」として申請することはできない。

地上権の設定登記において、「地代又はその支払時期の定めがある
ときは、その定め」及び「地上権の譲渡を禁止する旨の定めがあ
るときは、その定め」が登記事項となる。

甲建物の根抵当権の登記名義人であるAは、平成27年7月1日、
当該根抵当権を2個の根抵当権に分割して、その一方をBに譲り
渡した場合、平成27年7月1日分割譲渡を登記原因及びその日付
で登記の申請をすることができる。なお、第三者の許可、同意又
は承諾については平成27年7月1日に、それぞれ第三者の許可、
同意又は承諾を得ているものとする。

買戻特約の仮登記には、登記事項として登記権利者は記録されな
い。

同一の債権を担保するために、数個の不動産を目的とする共同抵
当権の設定の登記を申請する場合において、当該登記の申請が、
最初の申請以外のものであって、所定の証明書を提供してしたも
のであるときは、当該登記に係る登録免許税の税率は、当該登記
に係る不動産に関する権利の件数1件につき1,500円である。

建物について、平成19年4月1日売買を登記原因としてされた所
有権の移転の仮登記に基づき、当該仮登記の登記名義人が本登記
の申請をする場合の登録免許税率は、1,000分の20の割合から
1,000分の10を控除した割合である。

✕ 178

「地代又はその支払時期の定めがあるときは、その定め」は登記事項となる（78②）が、「地上権の譲渡を禁止する旨の定めがあるときは、その定め」は登記事項とはならない（78）。

◯ 179

根抵当権の分割譲渡の登記原因は「年月日分割譲渡」である。そして、当該登記の登記原因日付は、根抵当権の分割譲渡契約の成立の日であるが、設定者の承諾が分割譲渡契約の後になされた場合は、その承諾の日になる。したがって、本肢の場合、登記原因及びその日付は「平成27年7月1日分割譲渡」となる。

◯ 180

買戻特約の仮登記の登記には、登記事項として登記権利者が記録されない（平28.6.8民二386号記録例604）。

◯ 181

（根）抵当権設定登記の登録免許税は、債権額（極度額）を課税標準として、1,000分の4の税率を乗じて計算した額である（登録税別表1.1.（5））が、追加設定等最初の申請以外の申請の場合は、財務省令で定める書類を添付すれば、不動産1個につき1,500円の定額課税となる（登録税13Ⅱ）。

◯ 182

本肢の場合は、売買による移転登記の税率である1,000分の20から所有権移転仮登記の税率である1,000分の10を控除した、1,000分の10の税率で計算する（登録税17Ⅰ）。

183 □□□

Aを委託者、B及びCを受託者とする所有権の移転の登記及び信託の登記がされている甲土地について、Bを解任する裁判があったことによる受託者の変更の登記は、BとCが共同して申請しなければならない。

184 □□□
平14-18-オ

地役権設定登記の抹消を申請する場合において、要役地が1筆、承役地が2筆であるときの登録免許税の額は、2,000円である。

185 □□□
平23-16-オ

地役権の範囲を一部から全部に変更する地役権の変更の登記の登録免許税は、承役地である土地一筆につき1,000円である。

186 □□□
平25-27-ウ

Aを抵当権者とする順位1番の抵当権の設定の登記と、Aを抵当権者とする順位2番の抵当権の設定の登記がされている甲土地（不動産の価額100万円）について、同一の登記原因によってする順位1番及び順位2番の各抵当権の登記の抹消の登記を申請する場合の登録免許税の金額は、2,000円である。

187 □□□
令2-27-ア

同一の申請情報により20個を超える不動産についてする錯誤による所有権の登記名義人の住所の更正の登記の登録免許税の額は、2万円である。

84　LEC東京リーガルマインド　令和7年版　司法書士合格ゾーンポケット判択一過去問肢集
3 不動産登記法Ⅰ

× 183

裁判所書記官は、受託者の解任の裁判があったときは、職権で、遅滞なく、信託の変更の登記を登記所に嘱託しなければならない（102 I）。したがって、本肢において、Bを解任する裁判があったことによる受託者の変更の登記は、裁判所書記官の嘱託によってされる。

○ 184

地役権設定登記の抹消の登録免許税は、承役地の不動産の個数1個につき1,000円である（登録税別表1.1.（15））。

○ 185

地役権変更の登記の登録免許税は、不動産の個数1個につき1,000円である（登録税別表1.1.（14））。

× 186

抹消の登記の登録免許税は、不動産1個につき1,000円である（登録税別表1.1.（15））。

× 187

登記事項の更正の登記の場合には、抹消のような同一の申請情報により20個を超える不動産について申請するときの登録免許税の額を、申請件数1件につき2万円とする規定はなく、不動産の個数1個につき1,000円を乗じて算出した額となる（登録税別表1.1.（14））。

Aを根抵当権者とする極度額金3億円の根抵当権をB、C及びDの3名に一つの契約で同時に一部譲渡し、A、B、C及びDの共有とする場合における根抵当権の一部移転の登記の申請における登録免許税の額は、45万円である。

抵当権の順位の変更の登記の登録免許税の額は、不動産の個数1個につき1,000円である。

乙区1番で登記された抵当権の登記名義人である合同会社Aと、乙区2番で登記された抵当権の登記名義人である官公署が、官公署を第一順位、合同会社Aを第二順位とする抵当権の順位の変更の登記を共同して申請するときは、登録免許税は課されない。

甲土地（不動産の価額100万円）について、債権額を金500万円とする抵当権の設定の登記がされている場合における、当該抵当権で担保されている債権が質入れされたときの債権の質入れの登記の登録免許税の額は1,000円である。

所有権の登記名義人であるAから甲土地を買い受けた国が、Aに代位して嘱託する錯誤を登記原因とするAの住所の更正の登記の登録免許税は、1,000円である。

○ 188

譲受人が複数人いる場合の根抵当権の一部譲渡による根抵当権一部移転の登記の登録免許税額は、一部譲渡後の共有者の数で極度額を除した額に譲受人の数を乗じた課税標準の額に1,000分の2を乗じた額である（登研533-157）。したがって、本肢の場合、登録免許税の額は、金3億円（極度額）÷4人（一部譲渡後の共有者の数）×3人（譲受人の数）×2／1,000＝金45万円となる。

× 189

抵当権の順位変更の登記の登録免許税は、不動産の個数×抵当権の件数×1,000円である（登録税別表1.1.（8））。

× 190

抵当権の順位の変更を受ける場合において、当事者の一部が官公庁であるときは、登録免許税法4条1項の適用はない（昭48.10.31民三8188号）。したがって、本肢の場合、登録免許税として2,000円を納付することになる（登録税別表1.1.（8））。

○ 191

抵当権の債権質入れの登記を申請する際の登録免許税の額は、不動産1個につき1,000円である（登録税別表1.1.（14））。

× 192

国又は非課税法人がこれらの者以外の者に代位してする登記又は登録については、登録免許税は課されない（登録税5①）。

193 □□□　　　　　　　　　　　　　　　平19-17-ウ

平成19年4月1日設定を登記原因としてされた地上権の設定の登記の登記名義人である法人が、法人の合併により当該地上権の設定の登記がされている土地の所有権を取得した場合において、当該所有権の移転の登記を申請するときの登録免許税の税率は、1,000分の20の割合に100分の50を乗じて計算した割合である。

194 □□□　　　　　　　　　　　　　　　平29-27-オ

甲土地（不動産の価額100万円）の強制競売による差押債権者の債権金額が150万円であるときの当該差押えの登記を嘱託する場合の登録免許税の金額は、6,000円である。

195 □□□　　　　　　　　　　　　　　　平20-19-イ

地役権の設定の登記の登録免許税の額は、不動産の価額に1000分の10を乗じた額である。

196 □□□　　　　　　　　　　　　　　　令5-27-イ

Aが所有権の登記名義人である甲土地を要役地とし、甲土地と同一の登記所の管轄区域内にあるBが所有権の登記名義人である乙土地及び丙土地を承役地とする地役権の設定の登記を一の申請情報により申請した場合の登録免許税の額は、1,500円である。

197 □□□　　　　　　　　　　　　平21-24-3（令4-27-オ）

地目が墓地である土地についての相続を原因とする不動産の所有権の移転の登記の登録免許税の額は、不動産の価額に1,000分の4を乗じた額である。

✕ **193**

地上権の設定の登記がされている土地について、地上権の権利の登記名義人が当該土地の所有権を取得し、所有権の移転の登記を受ける場合の税率は、所有権移転登記の税率に100分の50を乗じて計算した額とされる（登録税17Ⅳ）。したがって、本肢における登録免許税の税率は、1,000分の4の割合に100分の50を乗じて計算した割合となる。

○ **194**

不動産の強制競売による差押えの登記の登録免許税の額は、その債権金額に1,000分の4を乗じた額となる（登録税別表1.1.(5)）。

✕ **195**

地役権設定の登記の登録免許税は、承役地の不動産の個数1個につき1,500円である（登録税別表1.1.(4)）。

✕ **196**

地役権の設定の登記を申請する場合の登録免許税の額は、承役地の不動産の個数1個につき1,500円である（登録税別表1.1.(4)）。本肢の場合、承役地の不動産の個数は2個であるため、登録免許税の額は、3,000円となる。

✕ **197**

地目が墓地である土地についての相続を原因とする所有権移転の登記を申請する場合、登録免許税は課されない（登録税5⑩）。

国が、登記権利者として不動産の所有権の移転の登記を嘱託する
前提として、当該不動産について登記義務者が行うべき相続の登
記を代位により嘱託した場合の登録免許税の額は、不動産の価額
に1,000分の4を乗じた額である。

官公署が代位して、登記名義人の住所についての変更の登記を嘱
託するときは、登録免許税は課されない。

合併を原因とする地上権の移転の登記の登録免許税の額は、地上
権の目的である不動産の価額に1,000分の2を乗じた額である。

甲土地（不動産の価額100万円）の受遺者が甲土地の所有権の登
記名義人の相続人であるときの遺贈による所有権の移転の登記の
申請をする場合の登録免許税の金額は、4,000円である。

地上権の売買を原因とする地上権の移転の登記の登録免許税の額
は、不動産の価額に1,000分の10を乗じた額である。

× **198**

国又は別表第二（非課税法人の表）に掲げる者がこれらの者以外の者に代位してする登記については、登録免許税は課されない（登録税5①）。

○ **199**

官公署が代位して、登記名義人の住所についての変更の登記を嘱託するときは、登録免許税は課されない（登録税5①）。

○ **200**

合併を原因とする地上権移転の登記の登録免許税の額は、地上権の目的である不動産の価額に1,000分の2を乗じた額である（登録税別表1.1.（3）ロ）。

○ **201**

遺贈による所有権の移転の登記の申請に係る登録免許税の額は、受遺者が相続人であるときは、受遺者が相続人であることを証する情報を提供すれば、相続による所有権の移転の登記の申請の場合と同様、不動産の価額に1,000分の4を乗じた額となる（平15.4.1民二1022号、登録税別表1.1.（2）イ）。

○ **202**

地上権の売買を原因とする地上権の移転登記の登録免許税は、不動産の価額に1,000分の10を乗じた額である（登録税別表1.1.（3）ニ）。

203 □□□   令2-27-イ

賃借権の転貸の登記の登録免許税の額は、不動産の価額に1,000分の10を乗じた額である。

204 □□□   平3-28-2（平19-17-エ）

Ａ工場財団とＢ土地を共同担保とする共同根抵当権設定登記の課税標準及び登録免許税率は極度額の1,000分の4である。

205 □□□   平25-27-ア（平3-28-4、平14-18-ウ）

敷地権の目的が甲土地の所有権のみであるＡ所有の敷地権付き区分建物について、順位１番と順位２番でそれぞれ登記された各抵当権間の順位の変更の登記の登録免許税は金4,000円である。

206 □□□   平19-17-オ

同一の登記名義人について、住所移転を原因とする登記名義人の住所の変更の登記及び氏名の変更を原因とする登記名義人の氏名の変更の登記を同一の申請書で申請する場合の登録免許税は、不動産１個につき2,000円である。

207 □□□   平25-27-エ

ＡからＢへの贈与を登記原因とする持分２分の１の所有権の一部移転の登記がされている甲土地（不動産の価額100万円）について、当該登記を所有権全部の移転の登記とする更正の登記を申請する場合の登録免許税の金額は、1,000円である。

○ **203**

賃借権の転貸の登記を申請する場合の登録免許税の額は、不動産の価額に1,000分の10を乗じて計算した金額である（登録税別表1.1.（3）イ）。

× **204**

不動産に対する抵当権の設定は債権額の1,000分の4、工場財団に対する抵当権の設定は債権額の1,000分の2.5と税率が異なる場合、低い税率である1,000分の2.5が税率となる（登録税13Ⅰ後段）。

○ **205**

抵当権の順位変更の登記の登録免許税の額は、抵当権の件数×1,000円である（登録税別表1.1.（8））。したがって、本肢の登録免許税の額は、4件×1,000円＝金4,000円となる。

× **206**

氏名変更と住所移転を原因とする登記名義人表示変更は、同じ区分に属する変更登記であるから、登録免許税は不動産1個につき1,000円となる。

× **207**

所有権一部移転登記を所有権移転登記に更正する場合は、増加する持分の価格に移転の原因による税率を乗じて算定した額を新たに納付する。したがって、本肢の場合、（100万円×1/2）×20/1000＝1万円となる。

甲土地（不動産の価額100万円）について、Aを地上権者とする地上権の設定の登記がされた後、AからBに対して地上権の全部が贈与されていたにもかかわらず、Bの持分を2分の1とするAからBへの贈与を登記原因とする地上権の一部移転の登記がされている場合における、Bのみを地上権の登記名義人とする地上権の更正の登記の登録免許税の額は5,000円である。

Aを賃借権者とする賃借権の設定の登記がされている甲土地（不動産の価額100万円）について、Aが甲土地を相続により取得した場合にする相続を登記原因とするAへの所有権の移転の登記を申請する場合の登録免許税の金額は、2,000円である。

甲土地（不動産の価額100万円）について、賃借権の登記名義人であるAが、所有権の登記名義人であるBから甲土地を買い受けた場合における、売買を登記原因とする所有権の移転の登記の登録免許税の額は2万円である。

敷地権の登記がされた一棟の建物に属する専有部分の建物2個についての所有権の登記名義人が、住所移転を原因とする登記名義人の住所の変更登記を申請する場合において、敷地権の目的が1筆の土地の敷地利用権であるときの登録免許税の額は、4,000円である。

○ **208**

地上権の一部移転の登記を地上権の移転の登記に更正する場合の登録免許税の額は、増加する持分の価額に移転の登記の税率を乗じて算定する。したがって、本肢の場合、（100万円×1/2）×10/1000＝5,000円となる。

○ **209**

賃借権の登記がされている不動産について、登記名義人が相続を登記原因として土地の所有権移転の登記を受けるときは、当該登記の登録免許税の税率は1000分の4に100分の50を乗じた1000分の2となる（登録税17Ⅳ、登録税別表1.1.（2）イ）。したがって、本肢の場合、100万円×（4/1000×50/100）＝2,000円となる。

× **210**

賃借権の設定の登記がされている不動産について、当該賃借権者が売買を登記原因として所有権の移転の登記を受ける場合の登録免許税の税率は、1000分の20に100分の50を乗じて計算した割合となる（登録税17Ⅳ）。したがって、本肢の場合、100万円×（20/1000×50/100）＝1万円となる。

× **211**

登記名義人の氏名等の変更の登記の登録免許税は、不動産1個につき1,000円である（登録税別表1.1.（14））。本肢の場合、専有部分の建物2個及び敷地権の目的である土地1個の合計3個の不動産であるから3,000円となる。

学校法人が校舎の敷地として非課税であることを証する書面を添付することなく、登録免許税を納付して所有権の移転の登記を受けた場合には、その後に、当該非課税であることを証する書面を提出して当該登録免許税の還付を受けることはできない。

甲土地（不動産の価額100万円）の地上権の登記名義人を登記義務者とする信託による地上権の移転の登記を申請する場合の登録免許税の金額は、4,000円である。

相続による所有権の移転の登記の登録免許税の額は、不動産の価額に1,000分の4を乗じた額である。

合併による所有権移転登記の登記原因の日付は、合併契約締結の日であり、登録免許税の税率は、1,000分の4である。

死因贈与による所有権の移転の登記の登録免許税の額は、不動産の価額に1,000分の20を乗じた額である。

○ 212

学校法人が校舎の敷地として所有権移転の登記を受ける場合、申請の時点において非課税であることを証する書面を提出しなければ、非課税とならず、ひとたび登記の申請が受理された後に、当該非課税であることを証する書面を提出して当該登録免許税の還付を受けることができるものではない（昭42.7.22民2121号）。

× 213

信託による地上権の移転の登記の登録免許税は、非課税となる（登録税7Ⅰ①）。

○ 214

相続による所有権の移転の登記を申請する場合の登録免許税の額は、不動産の価額に1,000分の4の税率を乗じて計算した金額である（登録税別表1.1.（2）イ）。

× 215

合併による所有権移転登記の登記原因の日付は、新設合併の場合は合併の登記がされた日、吸収合併の場合は会社間で定めた一定の日であり、合併契約締結の日ではない。合併を原因とする所有権移転登記の登録免許税の税率は、相続登記と同様に1,000分の4となる（登録税別表1.1.（2）イ）。

○ 216

死因贈与による所有権の移転の登記を申請する場合の登録免許税の額は、不動産の価額に1,000分の20の税率を乗じて計算した金額である（登録税別表1.1.（2）ハ）。

217 □□□ 　　　　　　　　　　　　　平10-19-キ（平21-24-1）

相続人以外への遺贈による所有権移転登記の登記原因の日付は、遺贈者死亡の日であり、登録免許税の税率は、1,000分の4である。

218 □□□ 　　　　　　　　　　　　　　　　　　令2-27-ウ

配偶者居住権の設定の登記の登録免許税の額は、不動産の価額に1,000分の4を乗じた額である。

219 □□□ 　　　　　　　　　　　　平30-27-エ（平20-19-エ）

乙区1番に抵当権の設定の登記が、乙区2番に賃借権の設定の登記が、それぞれされている場合における2番賃借権の1番抵当権に優先する同意の登記の登録免許税の金額は、2,000円である。

220 □□□ 　　　　　　　平16-25-ア（平7-13-4、平24-27-オ）

登記の申請が却下された場合には、申請書にはった収入印紙を再使用したい旨の申出をすることはできないが、登記の申請を取り下げた場合には、この申出をすることができる。

221 □□□ 　　　　　　　　　　　　　　　　　　平21-18-イ

登記の申請が却下されたときは、納付した登録免許税の還付を受けることはできない。

× 217

登記原因の日付は遺贈者の死亡した日となる。相続人以外への遺贈を原因とする所有権移転登記の登録免許税の税率は、1,000分の20となる（登録税別表1.1.（2）ハ）。

× 218

配偶者居住権の設定の登記を申請する場合の登録免許税の額は、不動産の価額に1,000分の2の税率を乗じて計算した金額である（登録税別表1.1.（3の2））。

○ 219

賃借権の先順位抵当権に優先する同意の登記の登録免許税は、賃借権及び抵当権の件数1件につき1,000円である（登録税別表1.1.（9））。

○ 220

登記の申請を取り下げた場合には、申請書及び添付書類が還付されるため（不登規39Ⅲ）申請書にはった収入印紙を再使用したい旨の申出をすることができる。しかし登記の申請が却下された場合には、この申出をすることができない。

× 221

登記の申請が25条の各号のいずれかに該当するために登記申請が却下されたときは、登記申請は初めからなかったことになるので、登記を申請した者は、その金額の還付を請求することができる（登録税31Ⅰ①）。

222 □□□

登記権利者及び登記義務者が共同して登記の申請をした場合において、当該申請を取り下げたときは、登記義務者は、登録免許税の還付を受けることはできない。

223 □□□

再使用証明を受けた印紙を使用して登記の申請をする場合には、数件の申請を同時に提出するときに限り、当該数件分の申請の登録免許税として使用することができる。

224 □□□

再使用証明を受けた印紙を使用して登記の申請をした場合において、その後、当該登記の申請を取り下げるときは、当該印紙について重ねて再使用したい旨の申出をすることができる。

225 □□□

再使用証明を受けた印紙を使用して申請した登記の登録免許税の額が、再使用証明を受けた印紙の額より少額であるときは、当該登記の完了後にその差額について還付を受けることができる。

226 □□□

市町村の固定資産課税台帳に登録されている価格に誤りがあり、その価格が修正された結果、登録免許税が過大に納付された場合には、価格が修正された日から5年以内であれば還付の請求をすることができる。

✕ **222**

共同申請の場合、登記権利者及び登記義務者の双方に登録免許税を納付する義務がある。そして、登記の申請を取り下げた場合、納付済の登録免許税は、申請人に還付される。

✕ **223**

再使用証明のされた印紙は1枚の貼用台紙に貼付されており、これを数件の登記申請に分割して、使用することはできないと解される。

◯ **224**

申請情報に再使用証明を受けた登録免許税の領収証書又は印紙を貼り付けて登記の申請をしたが、当該登記の申請を更に取り下げる場合、重ねて再使用証明の申出をすることができる（昭43.1.8民甲3718号）。

◯ **225**

再使用証明を受けた印紙を使用して申請した登記の登録免許税の額が、再使用証明を受けた印紙の額より少額であるときは、当該登記の完了後にその差額について還付を受けることができる（昭42.6.13民甲864号）。

◯ **226**

国税につき過誤納付があるときは、その還付を請求することができる（登録税31Ⅱ）。また、国に対する還付金の請求権は、その請求をできる日から5年間行使しないことによって、時効により消滅する（国税通則74Ⅰ）。

　　　　　　　　　　　　　　　　　　　平16-25-エ

登記事件が管轄に属さないことを理由として、いったんされた登記が抹消された場合には、抹消された登記を申請した際に納付した登録免許税につき還付の請求をすることができる。

228 　　　　　　　　　　　　　　　　　　　　　　　　令3-27-イ

AからBへの所有権の移転の登記の申請がされた後に、錯誤を登記原因として当該登記の抹消の申請をするときは、当該所有権の移転の登記の際に納付した登録免許税に相当する額の還付を受けることができる。

229 　　　　　　　　　　　　　　　　　　　　　　　平16-25-オ

抵当権の債権額を減額する更正の登記がされた場合には、債権額の差額分に課税された登録免許税につき還付の請求をすることができる。

230 　　　　　　　　　　　　　　　　　　　　　　　平24-27-エ

委託者から受託者に信託のために財産を移す場合における信託による財産権の移転の登記については、登録免許税が課されない。

231 　　　　　　　　　　　　　　　　　　　　　　　平17-18-ア

委託者のみを受益者とする信託の登記がされている不動産を受託者から受益者に移す所有権の移転の登記は、登録免許税が課されない。

○ **227**

管轄を誤ってされた登記が職権で抹消された場合には登記が却下された場合と同視できるため、既納付の登録免許税の還付請求をすることが**できる**（昭38.7.19民甲2117号）。

× **228**

錯誤を登記原因として所有権の移転の登記の抹消を申請する場合であっても、所有権の移転の登記の申請の際に納付した登録免許税に相当する額の還付を受けることは**できない**（登研508-99）。

× **229**

抵当権の債権額を減額する更正の登記がされた場合には、債権額の差額分に課税された登録免許税につき過誤納として還付の請求をすることが**できない**（登研585-181）。

○ **230**

委託者から受託者に信託のために財産を移す場合における財産権の移転の登記については、登録免許税が**課されない**（登録税7Ⅰ①）。

○ **231**

委託者のみを受益者とする信託の登記がされている不動産を受託者から受益者に移す所有権の移転の登記を申請するときには、登録免許税は**課されない**（登録税7Ⅰ②）。

抵当権の信託の仮登記の登録免許税の額は、債権金額に1000分の1を乗じた額である。

Aの持分にのみ債権額100万円の抵当権の設定の登記がされているA及びBが共有する甲土地（不動産の価額100万円）について、AがBの持分の全部を取得し、その移転の登記がされた場合において、当該抵当権の効力を甲土地の所有権全部に及ぼす変更の登記を申請する場合の登録免許税の金額は、1,000円である。

国がAに払い下げた土地を、誤ってB名義とする所有権の移転の登記を嘱託した場合、錯誤を原因として当該登記を抹消しても、当該嘱託の際に納付された登録免許税は、還付されない。

インターネットを利用した不動産の権利に関する登記の申請を取り下げた場合において、当該申請に係る登録免許税がインターネットバンキングにより納付されたものであるときは、当該取下げの日から1年内にインターネットを利用した登記の申請をするときに限り、再使用することができる。

○ **232**

抵当権の信託の仮登記を申請する場合の登録免許税の額は、債権金額の1000分の1の税率を乗じて計算した金額である（登録税別表1.1.（12）.ホ.（2））。

× **233**

所有権全部に及ぼす（根）抵当権の変更登記は、形式上は変更登記であるが、実質的には、（根）抵当権の追加設定の性質を有し、登録免許税法13条2項が適用される（昭43.1.11民三39号）。したがって、本肢の登録免許税の金額は、1,500円となる。

○ **234**

国がAに払い下げた土地を誤ってB名義とする所有権移転の登記を嘱託した場合、錯誤を原因として当該登記を抹消しても、当該嘱託の際に納付された登録免許税は、還付されない（昭40.3.1民甲492号）。

× **235**

インターネットバンキングにより登録免許税が納付された場合に、登記の申請を取り下げられたときには、印紙等を再使用して別の登記申請に利用することはできない。

236 ☐☐☐ 令3-27-ウ

電子情報処理組織を使用する方法により行った登記の申請を取り下げた場合において、当該申請の際に印紙をもって登録免許税を納付していたときは、当該印紙の額に相当する額の還付を受けることはできない。

237 ☐☐☐ 平17-18-オ

登記が完了した後に、税務署長が当該登記の申請について納付すべき登録免許税の額の一部が納付されていない事実を知った場合であっても、登記官から税務署長に対する不足額未納の通知がされない限り、当該不足額について税務署長による徴収がされることはない。

238 ☐☐☐ 平20-18-ア

登記官は、登記の申請を却下すべき場合においても、申請人となるべき者以外の者が登記の申請をしていると疑うに足りる相当な理由があると認めるときは、申請人の申請の権限の有無を調査しなければならない。

239 ☐☐☐ 平28-25-オ

印鑑に関する証明書が不正に交付されたことを理由とする不正登記防止申出は、電子情報処理組織を使用する方法によって行うことができる。

106 LEC東京リーガルマインド　令和7年版　司法書士合格ゾーンポケット判択一過去問肢集
3 不動産登記法 I

× 236

電子情報処理組織を使用する方法により行った登記の申請を取り下げた場合において、当該申請の際に印紙をもって登録免許税を納付していたときに、登録免許税の還付を受けることができないとする規定はない（登録税31 I 参照）。

× 237

登記が完了した後に、税務署長が当該登記の申請について納付すべき登録免許税の額の一部が納付されていない事実を知った場合には、登記官から税務署長に対する不足額未納の通知がなくても、当該不足額について税務署長による徴収がされる（登録税29 II）。

× 238

登記官は、登記の申請があった場合において、申請人となるべき者以外の者が申請していると疑うに足りる相当な理由があると認めるときは、25条の規定により当該申請を却下すべき場合を除き、当該申請人の申請の権限の有無を調査しなければならない（24 I）。

× 239

不正登記防止申出は、登記名義人若しくはその相続人その他の一般承継人又はその代表者若しくは代理人（委任による代理人を除く。）が登記所に出頭してしなければならない（不登準則35 I 本文）。

240 ☐☐☐ 平20-18-イ

登記官は、申請人の申請の権限の有無を調査するに際しては、申請人又はその代表者若しくは代理人に対し、出頭を求めることができる。

241 ☐☐☐ 平20-18-ウ

登記官が、登記識別情報の誤りを原因とする補正又は取下げ若しくは却下が複数回されていたことを知ったからといって、申請人となるべき者以外の者が登記の申請をしていると疑うに足りる相当な理由があるとは、認められない。

242 ☐☐☐ 令3-12-エ（平20-18-エ）改題

登記官が、登記の申請人となるべき者以外の者が申請していると疑うに足りる相当な理由があると認めた場合において、当該申請人が遠隔の地に居住しているときは、登記官は、他の登記所の登記官に当該申請人の申請の権限の有無の調査を嘱託しなければならない。

243 ☐☐☐ 平20-18-オ

登記官が、申請情報の内容となった登記識別情報を提供することができない理由が事実と異なることを知ったからといって、申請人となるべき者以外の者が登記の申請をしていると疑うに足りる相当な理由があるとは、認められない。

244 ☐☐☐ 平6-27-エ（平21-18-エ）

登記の申請の代理人は、取下げについての代理権が特別に与えられていなくても、申請の不備を補正するため申請を取り下げることができる。

○ 240

登記官は、申請人の権限の有無を調査するに際して、申請人又は
その代表者若しくは代理人に対し、出頭を求め、質問をし、又は
文書の提示その他必要な情報の提供を求めることができる（24
Ⅰ）。

✕ 241

登記官が、登記識別情報の誤りを原因とする補正又は取下げ若し
くは却下が複数回されていたことを知ったときは、申請人となる
べき者以外の者が申請していると疑うに足りる相当な理由がある
と認められる（不登準則33Ⅰ⑤）。

✕ 242

登記官は、当該他の登記所の登記官に本人確認の調査を嘱託する
ことができる（不登準則34Ⅰ）。

✕ 243

登記官が、申請情報の内容となった登記識別情報を提供すること
ができない理由が事実と異なることを知ったときは、申請人とな
るべき者以外の者が申請していると疑うに足りる相当な理由があ
ると認められる（不登準則33Ⅰ⑥）。

○ 244

申請の取下げが欠缺補正のためのものである場合には、特別の委
任を要しないが、その他の場合においては、特別の委任を必要と
する（昭29.12.25民甲2637号）。

245 ▮▢▢▢   令3-12-ア（平4-18-1）

同一の不動産について、同時に二件（各登記権利者を異にする。）
の所有権の移転請求権を保全するための仮登記の申請があった場
合には、これらの申請は同一の受付番号を付して受け付けられると
ともに、いずれの申請も同時に却下される。

246 ▮▢▢▢   平19-13-ウ

共同相続人である親権者とその親権に服する未成年者との間で、
親権者が相続財産の分配を受けないことを内容とする遺産分割協
議がされた場合には、当該未成年者のために特別代理人が選任さ
れたことを証する情報を提供することなく、当該遺産分割協議に
基づく所有権の移転の登記を申請することができる。

247 ▮▢▢▢   平6-22-4（平20-20-ア）

Ａ名義の抵当権設定登記がされている不動産について、真正な登
記名義の回復を原因として、Ｂ名義への抵当権移転の登記を申請
することはできない。

248 ▮▢▢▢   平21-18-ア

書面申請の方法で登記を申請した場合において、申請が却下され
たときは、申請書は、還付されない。

249 ▮▢▢▢   平21-18-ウ

登記権利者及び登記義務者の双方から委任を受けた代理人によっ
てされた登記の申請を却下するときであっても、当該決定書は、申
請人ごとに交付しなければならない。

○ 245

本肢のとおりである。なぜなら、所有権のように、相排斥し合い、矛盾し合う二つの権利は、同時に同一不動産について存在し得ないからである（昭30.4.11民甲693号）。

× 246

共同相続人である親権者とその親権に服する未成年者との間で遺産分割協議をする場合には、協議の結果、親権者が相続財産の分配を受けないものとするときでも、特別代理人の選任が必要である（登研459-97）。

○ 247

無権利者A名義に抵当権設定の登記がされている場合に、真の抵当権者Bのために「真正な登記名義の回復」を原因として抵当権移転の登記を申請することはできない（昭40.7.13民甲1857号）。

○ 248

書面申請の方法で登記を申請した場合において、申請が却下されたときは、原則として、添付書面のみ還付され、申請書は還付されない（不登規38Ⅲ本文）。

× 249

登記官は、申請を却下するときは、決定書を作成して、申請人ごとに交付するものとする（不登規38Ⅰ本文）。ただし、代理人によって申請がされた場合は、当該代理人に交付すれば足りる（不登規38Ⅰ但書）。

250 □□□
令3-12-オ

書面申請をした申請人は、申請に係る登記が完了するまでの間、申請書及びその添付書面の受領証の交付を請求することができる。

251 □□□
平21-18-オ

書面申請の方法で登記を申請した場合において、申請を取り下げるときは、申請の取下書を登記所に提出する方法のほか、法務大臣の定めるところにより電子情報処理組織を使用して申請を取り下げる旨の情報を登記所に提供する方法によることもできる。

252 □□□
平24-25-ア

債務者が単独で相続した土地について、相続を登記原因とする所有権の移転の登記が債権者の代位により申請され、当該登記を完了したときは、登記官は、当該債務者に対し、登記が完了した旨を通知しなければならない。

253 □□□
平24-25-ウ

所有権の登記がない建物について、裁判所書記官の嘱託による仮差押えの登記を完了したときは、登記官は、当該建物の所有者に対し、登記が完了した旨を通知しなければならない。

254 □□□
平24-25-エ

送付の方法により登記完了証の交付を求める場合には、申請人は、その旨及び送付先の住所を申請情報の内容としなければならない。

○ 250

書面申請をした申請人は、申請に係る登記が完了するまでの間、申請書及びその添付書面の受領証の交付を請求することができる（不登規54Ⅰ）。

✕ 251

書面申請の方法で登記を申請した場合において、申請を取り下げるときは、申請を取り下げる旨の情報を記載した書面を登記所に提出する方法によってしなければならない（不登規39Ⅰ②）。

○ 252

登記官は、債権者代位の規定により、債権者が債務者に代位して申請された登記を完了した場合には、当該債務者に対し、登記が完了した旨を通知しなければならない（不登規183Ⅰ②）。

○ 253

登記官は、表題登記がない不動産又は所有権の登記がない不動産について嘱託による所有権の処分の制限の登記をしたときは、当該不動産の所有者に対し、登記が完了した旨を通知しなければならない（不登規184Ⅰ）。

○ 254

送付の方法により登記完了証の交付を求める場合には、申請人は、その旨及び送付先の住所を申請情報の内容としなければならない（不登規182Ⅱ）。

申請情報を記載した書面を提出する方法により申請された登記を完了したときは、登記官は、登記原因及びその日付を登記完了証に記録しなければならない。

電子情報処理組織を使用して交付の請求をした登記事項証明書は、送付の方法により受領することができるほか、請求者が指定した登記所で受領することもできる。

審査請求をした者は、当該審査請求の裁決があるまでは、いつでも審査請求を取り下げることができ、口頭で取下げをすることもできる。

審査請求書は、処分を行った登記官を監督する法務局又は地方法務局の長に提出しなければならない。

登記官の処分についての審査請求は、登記官を経由してしなければならない。

✕ 255

書面申請の場合、登記完了証に記録される申請情報は、登記の目的のみであり、登記原因及びその日付は記録されない（不登規181Ⅱ⑦）。

○ 256

オンラインで交付請求した登記事項証明書は、送付の方法により受領することができるほか（不登規194Ⅲ・197Ⅵ）、受取先登記所として請求者が指定した登記所の窓口で受け取ることができる。

✕ 257

審査請求人は、裁決があるまでは、いつでも審査請求を取り下げることができる（行服27Ⅰ）。そして、審査請求の取下げは、書面でしなければならない（行服27Ⅱ）。

✕ 258

登記官の処分に係る審査請求は、監督法務局又は地方法務局の長に対してすることになっているが（156Ⅰ）、一般的な行政庁の処分に対する審査請求の場合と異なり（行服21Ⅰ参照）、その申立ては登記官を経由しなければならない。すなわち、審査請求書は登記官に提出しなければならない（156Ⅱ）。

○ 259

登記官の処分に不服がある者又は登記官の不作為に係る処分を申請した者は、当該登記官を監督する法務局又は地方法務局の長に審査請求をすることができるが、この審査請求は、登記官を経由してしなければならない（156）。

処分をした登記官を監督する法務局又は地方法務局の長は、当該
処分に対する審査請求を理由があると認めるときは、登記官に相
当の処分を命じ、その旨を審査請求人のほか登記上の利害関係人
に通知しなければならない。

登記官は、審査請求の審査に際しては審査請求人に口頭で意見を
述べる機会を与えなければならない。

登記の申請を却下する処分に対する審査請求は申請人が登記官か
らの却下処分の通知を受けた日の翌日から起算して3か月以内に
しなければならない。

登記申請の代理権の授与の意思表示を取り消したにもかかわらず、
既に交付していた委任状に基づく申請により、所有権の移転登記
がされた場合には、登記義務者は、登記の抹消を求めて審査請求
をすることができる。

抵当権移転の登記の申請を却下した処分について、抵当権設定者
も審査請求をすることができる。

○ 260

登記官の処分に不服がある者又は登記官の不作為に係る処分を申請した者は、当該登記官を監督する法務局又は地方法務局の長に審査請求をすることができ、当該法務局又は地方法務局の長は、審査請求を理由があると認めるときは、登記官に相当の処分を命じ、その旨を審査請求人のほか登記上の利害関係人に通知しなければならない（156Ⅰ・157Ⅲ）。

× 261

審査請求人の申立てがあった場合でも、登記官は、当該審査請求人に口頭で意見を述べる機会を与える必要はない（158による行服31の不適用）。

× 262

158条により行政不服審査法18条の規定は登記官の処分に係る審査請求には適用されないので、処分の是正が法律上可能であり、かつ、その利益がある限り、3か月を経過した後でも審査請求をすることができる（158参照）。

× 263

25条1号から3号まで又は13号に該当しない限り、登記官が職権により抹消することができないため、審査請求の方法によりこれを是正することはできない（大判大5.12.26、最判昭38.2.19参照）。

× 264

登記申請が却下された当該申請人は、審査請求人となり得るが、本肢のように、抵当権移転登記における抵当権設定者は、審査請求をすることができない（大決大6.4.25）。

265 ▢▢▢ 　　　　　　　　平6-27-オ（平元-23-3）

却下された登記の申請の代理人は、審査請求についての代理権が特別に与えられていなくても、審査請求の代理をすることができる。

266 ▢▢▢ 　　　　　　　　　　　　　　平24-26-イ

審査請求人は、処分をした登記官を監督する法務局又は地方法務局の長に対し、当該処分の執行の停止を申し立てることができる。

267 ▢▢▢ 　　　　　平8-23-3（平28-26-エ、令2-25-オ）

登記の申請を却下した登記官の処分に対して審査請求がされたときは、審査請求を受けた法務局長又は地方法務局長は、審査請求に明らかに理由がないと認める場合を除き、登記官に対し仮登記を命じなければならない。

268 ▢▢▢ 　平元-23-5（平20-22-エ、平24-26-ア、平28-26-オ）

審査請求は、登記の申請情報の保存期間が満了した後はすることができない。

269 ▢▢▢ 　平8-23-1（平20-22-イ、平28-26-イ、令2-25-ア）

登記官の処分に対して審査請求ができる場合であっても、審査請求をすることなく、処分の取消しを求める行政訴訟を提起することができる。

× **265**

審査請求についての代理権は、特別に与えられていることを要する。

× **266**

登記官の処分については、その処分の執行の停止を申し立てることはできない（158条による行政不服審査法25条2項から同7項の不適用）。

× **267**

法務局又は地方法務局の長が審査請求を受理した場合、遅滞なくこれを処理すべきであるが、審理中に理由ありとする公算が大であるとの心証を得たときは、裁決前に審査請求に係る登記についての仮登記を登記官に命ずることができる（157Ⅳ）。

× **268**

申請情報の保存期間が満了した後であっても、登記官の処分の是正が法律上可能であり、かつ、その利益がある限り、いつでも審査請求は可能である（昭37.12.18民甲3604号参照）。

○ **269**

登記官の不当な処分によって不利益を受けた者は、審査請求の申立てをするとしないとにかかわらず、直接裁判所に対して処分の取消しを求める抗告訴訟を提起することができる（行訴8Ⅰ・11Ⅰ）。

登記官の処分に対する審査請求に関しては、登記手続の特殊性にかんがみ、不動産登記法は行政不服審査法の規定の適用除外を定めており、登記事項証明書・登記事項要約書の交付に関する処分は、審査請求の対象から除外されている。

審査請求をした者から、審査請求の目的である処分に係る権利を譲り受けた者は、審査庁である法務局又は地方法務局の長の許可を受けて、審査請求人の地位を承継することができる。

登記官の処分を不服として審査請求をした者が死亡した場合には、その相続人は、審査請求人の地位を承継し、相続人が二人以上あるときは、その一人に対する通知その他の行為は、全員に対してされたものとみなされる。

登記官は、審査請求に理由があると判断した場合には、3日以内に意見を付して事件を監督法務局又は地方法務局の長に送付し、その長の命令により、相当の処分をしなければならない。

登記官が審査請求を理由があると認め、相当の処分をしたときは、審査請求人に対し、当該処分の内容を通知しなければならない。

公式 SNS

LEC司法書士公式アカウントでは、
最新の司法書士試験情報やお知らせ、イベント情報など、
司法書士試験に関する様々なお役立ちコンテンツを発信していきます。
ぜひチャンネル登録&フォローをよろしくお願いします。

● 公式 X (旧Twitter)
https://twitter.com/LECshihoushoshi ▶

● 公式 YouTube チャンネル
https://www.youtube.com/@LEC-shoshi ▶

● Note
https://note.com/lec_shoshi ▶

LEC東京リーガルマインド

× 270

156条1項は、「登記官の処分に不服がある者又は登記官の不作為に係る処分を申請した者は、監督法務局又は地方法務局の長に審査請求をすることができる」と規定しているが、この処分には、登記の実行行為、申請の却下、登記事項証明書・登記事項要約書の交付請求に対する拒否が含まれる。

× 271

審査請求をした者から、審査請求の目的である処分に係る権利を譲り受けた者であっても、審査請求人の地位を譲り受けることはできない（158条による行政不服審査法15条6項の不適用）。

○ 272

審査請求人が死亡したときは、相続人その他法令により審査請求の目的である処分に係る権利を承継した者は、審査請求人の地位を承継する（行服15Ⅰ）。行政不服審査法37条1項の場合において、審査請求人の地位を承継した相続人その他の者が二人以上あるときは、その一人に対する通知その他の行為は全員に対してされたものとみなす（行服15Ⅴ）。

× 273

登記官は、審査請求に理由があると認めたときは、相当の処分をしなければならないのであって監督法務局又は地方法務局の長の命令を待たなくてもよい（157Ⅰ）。

○ 274

登記官は、処分についての審査請求を理由があると認めるときは、相当の処分をしなければならない（157Ⅰ）。そして、登記官は、157条1項の規定により相当の処分をしたときは、審査請求人に対し、当該処分の内容を通知しなければならない（不登規186）。

275 □□□

不動産登記法は、審査請求前置主義を採用していないので、審査請求と取消訴訟のいずれの手続を選択してもよいが、審理の重複を防止するため、双方の手続を併行させることはできない。

276 □□□

登記の申請をした者は、当該申請から相当の期間が経過したにもかかわらず、登記官が何らの処分をもしない場合には、審査請求をすることができる。

× **275**

登記官の処分に不服がある者又は裁決について不服がある者は、審査請求をしながら処分の取消しを求める訴訟を提起することもできる（行訴8Ⅰ）。

○ **276**

登記官の不作為に係る処分を申請した者は、登記官を経由して、当該登記官を監督する法務局又は地方法務局の長に審査請求をすることができる（156）。

❸ 申請情報及び添付情報

277 ☐☐☐ 平22-27-ア改題

表題部所有者による所有権の保存の登記を申請する際、登記原因証明情報を添付することを要する。

278 ☐☐☐ 平23-24-イ

敷地権付き区分建物の所有権を表題部所有者から取得した者が所有権の保存の登記を申請する場合には、登記原因証明情報の提供を要しない。

279 ☐☐☐ 平23-24-ア

真正な登記名義の回復を登記原因とする所有権の移転の登記を申請する場合には、登記原因証明情報の提供を要しない。

280 ☐☐☐ 平28-16-ウ

甲土地について所有権の移転の登記手続をする旨の和解調書上の甲土地の地積の記載に誤記があったため和解調書の更正決定がされた場合において、当該和解調書と当該更正の決定書を提供して甲土地の所有権の移転の登記を申請するときは、登記原因証明情報として当該更正の決定が確定したことを証する書面の提供を要しない。

281 ☐☐☐ 平21-25-イ（平6-18-ウ）

同一債権の担保として数個の不動産上に設定された共同抵当権であることが登記原因証明情報により明らかな場合には、その一部の不動産のみについて設定の登記を申請することはできない。

× **277**

74条1項による所有権保存登記を申請する場合には、登記原因がないので、登記原因証明情報を提供することを要しない（不登令7Ⅲ②）。

× **278**

敷地権付き区分建物の所有権を表題部所有者から取得した者が、所有権保存の登記を申請する場合（74Ⅱ）、登記原因証明情報を提供することを要する（不登令別表29）。

× **279**

真正な登記名義の回復を登記原因とする所有権移転の登記を申請する場合、登記原因証明情報を提供することを要する（不登令別表30項添イ）。

× **280**

判決による登記を申請する場合において、その判決の主文に記載された不動産の表示について更正決定がされているときは、その決定が確定したことを証する書面を提供することを要する（昭53.6.21法曹会決議）。

× **281**

同一債権の担保として数個の不動産上に設定された共同抵当権であることが登記原因証明情報により明らかな場合でも、その一部の不動産のみについて設定の登記を申請することができる（昭30.4.30民甲835号）。

仮登記所有権に対してする抵当権設定の仮登記の申請をする際には、登記原因証明情報の提供を要する。

仮登記所有権移転の仮登記の登記を申請する際、登記原因証明情報を添付することを要する。

抵当権の設定の仮登記を申請する場合には、抵当権の設定に関する登記原因証明情報を提供することを要しない。

所有権移転仮登記の抹消登記を申請する場合、登記原因証明情報の提供が必要である。

所有権移転請求権の移転の登記の申請の際には、登記原因証明情報の提供が必要である。

所有権に関する被相続人名義の登記済証は、相続を登記原因とする所有権の移転の登記の申請情報と併せて提供すべき登記原因証明情報とはなり得ない。

○ **282**

仮登記所有権に対してする抵当権設定の仮登記は、権利の登記であるため登記原因証明情報の提供を要する（61、不登令7Ⅰ⑤ロ）。

○ **283**

仮登記所有権の移転の仮登記を申請する場合、権利に関する登記であるため登記原因証明情報の提供を要する（61、不登令7Ⅰ⑤ロ）。

× **284**

抵当権の設定の仮登記を申請する場合には、登記原因証明情報（61）として、抵当権設定契約証書等の提供を要する。

○ **285**

所有権移転の仮登記の抹消登記を申請する場合は、登記原因証明情報の提供が必要となる（61、不登令7Ⅰ⑤ロ）。

○ **286**

所有権移転請求権の移転の登記を申請する場合、登記原因証明情報（61、不登令7Ⅰ⑤ロ）の提供が必要となる。

× **287**

相続による所有権の移転の登記が申請された場合において、被相続人の登記記録上の住所が戸籍謄本上の本籍と異なるため、被相続人の同一性を証する情報として、所有権に関する被相続人名義の登記済証が提供されたときは、当該申請に係る登記をすることができる（平29.3.23民二175号）。

288 ☐☐☐ 平31-13-イ

被相続人の戸籍の附票の写しは、相続を登記原因とする所有権の移転の登記の申請情報と併せて提供すべき登記原因証明情報とはなり得ない。

289 ☐☐☐ 平31-13-ウ

検認がされていない自筆証書による遺言書であって遺言書保管所に保管されていないものは、相続を登記原因とする所有権の移転の登記の申請情報と併せて提供すべき登記原因証明情報とはなり得ない。

290 ☐☐☐ 令3-19-ウ

自筆証書による遺言書に日付の自署がない場合において、当該遺言書について家庭裁判所の検認を経たときは、当該遺言書を添付して遺贈を原因とする所有権の移転の登記の申請をすることができる。

291 ☐☐☐ 平31-13-エ

相続人の欠格事由に該当する相続人が作成した当該欠格事由が存在する旨の証明書は、相続を登記原因とする所有権の移転の登記の申請情報と併せて提供すべき登記原因証明情報とはなり得ない。

✕ 288

相続による所有権の移転の登記が申請された場合において、被相続人の登記記録上の住所が戸籍謄本上の本籍と異なるため、被相続人の同一性を証する情報として、戸籍の附票の写し（本籍及び登記記録上の住所が記載されているもの）が提供されたときは、当該申請に係る登記をすることができる（平29.3.23民二175号）。

◯ 289

相続を登記原因とする所有権の移転の登記を申請する場合において、検認を経ていない自筆証書遺言書を登記原因証明情報として提供したときは、当該申請は25条9号により却下される（平7.12.4民三4344号）。

✕ 290

自筆証書によって遺言をするには、遺言者が、その全文、日付及び氏名を自書し、これに印を押さなければならない（民968Ⅰ）。この点、自筆証書による遺言書に日付の記載がない場合、検認を経た当該遺言書に基づく遺贈の登記を申請することはできない（昭26.8.31民甲1754号）。

✕ 291

共同相続人の中に民法891条所定の欠格事由に該当する者がいる場合において、相続を登記原因とする所有権の移転の登記を申請するときは、当該欠格者について欠格事由が存する旨を証する当該欠格者自身が作成した情報（当該欠格者の印鑑に関する証明書の添付を要する。）を、登記原因証明情報の一部とすることができる（昭33.1.10民甲4号参照）。

新設合併の当事者である会社が作成した新設合併契約書は、合併
を登記原因とする所有権の移転の登記の申請情報と併せて提供す
べき登記原因証明情報とはなり得ない。

相続を登記原因とする抵当権の債務者の変更の登記を申請する場
合は、登記原因証明情報として変更前の債務者の相続を証する市
町村長、登記官その他の公務員が職務上作成した書面を提供しな
ければならない。

抵当権の設定契約後に債権額の一部が弁済された場合に、当初の
抵当権設定契約書に弁済額を証する書面を綴り合わせたものを登
記原因証明情報とし、現存する債権額を債権額としてする抵当権
設定登記の申請は、認められない。

公正証書による遺言書のみで、所有権移転の登記申請の際の登記
原因証明情報となる。

○ **292**

新設合併による承継を登記原因とする権利の移転の登記の申請においては、合併の記載がある新設会社の登記事項証明書を登記原因証明情報として提供しなければならない（平18.3.29民二755号）。

× **293**

相続を登記原因とする抵当権の債務者の変更の登記の申請をする場合において、登記原因証明情報として、報告形式の登記原因証明情報を提供したときは、それ以外に債務者の相続を証する市町村長、登記官その他の公務員が職務上作成した書面を提供する必要はない（不登令7 I ⑤イ参照）。

× **294**

先例は、申請時点の現存債権額で直ちに設定登記の申請をすることを認めている（昭34.5.6民甲900号）。また、本肢のように当初の抵当権設定契約書に弁済額を証する書面を綴り合わせたものも登記原因証明情報となり得る。

× **295**

遺言は、遺言者の死亡によって効力を発生するものであり、遺言公正証書のみを提供しても物権変動の効力発生日すなわち遺言者の死亡の日が明らかとならないため、遺言者の死亡を証する情報をも併せたものでなければならない。

相続を原因とする所有権の移転の登記の申請をするに際して、相続があったことを証する除籍又は改製原戸籍の一部が滅失していることにより、その謄本を添付することができない場合において、戸籍及び残存する除籍等の謄本に加え、除籍等の謄本を交付することができない旨の市町村長の証明書を添付したときは、「他に相続人はない」旨の相続人全員による証明書の添付を要しない。

株式会社が新設分割をした場合に、会社分割を原因とする所有権移転登記は、登記原因証明情報の一部として分割計画書を添付して、申請することができる。

官庁又は公署が登記権利者として所有権の移転の登記の嘱託をする場合には、登記原因証明情報を提供することを要しない。

会社法人等番号の提供をせずに会社の吸収分割による承継を登記原因とする所有権の移転の登記の申請をする場合には、登記原因証明情報として、分割契約書及び会社分割の記載のある吸収分割承継会社の登記事項証明書を提供しなければならない。

解答かくしシート

LEC東京リーガルマインド

2025年合格目標
LECの答練・模試スケジュール

本試験に向けて実力や弱点把握し実力アップをしていこう!

精撰答練

実力養成編 [全12回] 2025年 1/5(日)〜 3/30(日)
ファイナル編 [全8回] 2025年 4/6(日)〜6/1(日)
※日曜クラスの場合

全国公開模擬試験

第1回目 2025年 5/2(金)・5/3(土)・5/4(日)
第2回目 2025年 6/6(金)・6/7(土)・6/8(日)

全国スーパー公開模擬試験

第1回目 2025年 6/13(金)・6/14(土)・6/15(日)
第2回目 2025年 6/20(金)・6/21(土)・6/22(日)

詳細は
LEC司法書士サイト
▼

LEC東京リーガルマインド

○ **296**

相続を証する市町村長が職務上作成した情報につき除籍等の一部が滅失していることにより、その謄本を提供することができないときは、「除籍等の謄本を交付することができない」旨の市町村長の証明書を提供すれば、「他に相続人はいない」旨の相続人全員による証明書を提供することを要しない（平28.3.11民二219号）。

○ **297**

株式会社の新設分割により、新設分割株式会社から新設分割設立株式会社への不動産の所有権移転登記の申請の際に提供すべき登記原因証明情報は、分割計画書及び会社分割の記載がある設立会社の登記事項証明書（会社法人等番号の提供により添付省略可）となる（平18.3.29民二755号）。

× **298**

官庁又は公署が登記権利者として所有権移転の登記の嘱託をする場合には、登記原因証明情報を提供することを要する（61、不登令別表73項添イ）。

○ **299**

吸収分割による承継を登記原因とする権利の移転の登記の申請においては、元本確定前における根抵当権の一部移転の登記を申請する場合（平17.8.8民二1811号）を除き、分割契約書及び会社分割の記載がある吸収分割承継会社の登記事項証明書（会社法人等番号の提供により省略可）を登記原因証明情報として提供しなければならない（平18.3.29民二755号）。

300 ☐☐☐　　　　　　　　　　　　　　　　平28-16-ア

根抵当権者をＡ株式会社とする元本確定の登記がされた根抵当権の登記について、会社分割を登記原因とするＡ株式会社からＢ株式会社への根抵当権の移転の登記を申請する場合には、登記原因証明情報として、当該会社分割の記載のあるＢ株式会社の登記事項証明書を提供すれば足りる。

301 ☐☐☐　　　　　　　　　　　　　　　　平21-14-オ

竹木の所有を目的とする存続期間の定めがある地上権の設定契約書を登記原因証明情報として提供した場合であっても、存続期間を申請情報の内容としない地上権の設定の登記を申請することができる。

302 ☐☐☐　　　　　　　　　　　　　　　　令6-26-ウ

売買を原因とするＡからＢへの所有権の移転の登記と同時にした買戻しの特約の登記がされている甲不動産について、買戻しの特約が付された売買契約の日から10年を経過したことにより、Ｂが単独で当該買戻しの特約の登記の抹消を申請する場合には、登記原因証明情報を提供することを要しない。

303 ☐☐☐　　　　　　　　　　　　　　　　平23-24-ウ

登記名義人の住所の変更の登記を申請する場合において、住民基本台帳法に規定する住民票コードを申請情報の内容としたときは、登記原因証明情報の提供を要しない。

✕ **300**

元本の確定後の根抵当権についてする会社分割を登記原因とする根抵当権の移転の登記の申請の登記原因証明情報は、会社分割の記載のある当該会社の登記事項証明書（会社法人等番号の提供により省略可）及び分割契約書又は分割計画書が必要である（平17.8.8民二1811号、登研653-53）。

✕ **301**

存続期間の定めがある地上権の設定契約書を登記原因証明情報として提供した場合に、存続期間を申請情報の内容としていない地上権の設定の登記を申請することはできない。

◯ **302**

不登法69条の2の規定により買戻しの特約の登記の抹消を申請する場合には、登記原因証明情報を提供することを要しない（不登令7Ⅲ①）。

◯ **303**

住民基本台帳法に規定する住民票コードを申請情報の内容としたときは、登記原因証明情報を提供することを要しない（不登令9、不登規36Ⅳ、住民台法7⑬）。

Ａを所有権の登記名義人とする甲土地について、婚姻によりＡの氏が変更したことによる氏名の変更の登記は、登記原因証明情報として住民基本台帳法に規定する住民票コードを提供して申請することができる。

特例民法法人である社団法人が公益社団法人へ移行した場合において、当該法人が会社法人等番号を提供せずに所有権登記名義人の名称の変更の登記を申請する際には、登記原因証明情報として、「名称変更し、移行したことにより設立」との記載がある移行後の公益社団法人の登記事項証明書を提供しなければならない。

甲土地について設定された根抵当権の債務者であるＡが破産したため、当該根抵当権の登記名義人であるＢが単独で当該根抵当権の元本確定の登記を申請する場合には、Ａについて破産手続開始の決定があったことを証する情報を提供しなければならない。

甲建物についてＡに対する賃借権の設定の登記がされ、当該登記について「賃借人の死亡時に賃貸借終了」の旨の定めも登記されている場合において、Ａが死亡した後に、甲建物の所有権の登記名義人であるＢが単独で当該賃借権の設定の登記の抹消を申請するときは、Ａの死亡を証する市町村長が職務上作成した情報を提供しなければならない。

○ **304**

申請情報と併せて住民票コードを提供したときは、その申請情報と併せて当該住所を証する情報を提供することを要しない（不登規36Ⅳ本文、不登令9・7Ⅰ⑥）。

○ **305**

特例民法法人が公益社団法人又は公益財団法人へ移行した場合、登記名義人の名称変更の登記を申請する。そして、この場合、移行後の公益社団法人又は公益財団法人の登記事項証明書（会社法人等番号の提供により省略可）を、登記原因を証する情報として提供しなければならない（平20.11.26民二3042号）。

○ **306**

破産手続開始決定により元本が確定し、根抵当権の登記名義人が単独で元本確定登記を申請する場合、登記原因証明情報として、破産手続開始の決定があったことを証する情報を提供しなければならない（不登令別表63項添）。

○ **307**

権利が人の死亡によって消滅する旨が登記されている場合において、当該権利が人の死亡によって消滅したときは、登記権利者は単独で当該権利に係る権利に関する登記の抹消を申請することができ（69）、その場合、人の死亡を証する市町村長が職務上作成した情報を提供しなければならない（不登令別表26項添（イ））。

308 ⬜⬜⬜

平26-15-オ

株式会社が名称を変更した場合において、その所有する不動産の登記名義人の名称についての変更の登記を申請するときは、名称について変更があったことを証する名称の変更後の当該株式会社の定款の写しを提供しなければならない。

309 ⬜⬜⬜

令2-15-ウ

株式会社がその商号変更を登記原因とする所有権の登記名義人の名称の変更の登記を申請する場合は、登記原因証明情報として当該商号変更を決議した株主総会議事録を提供して申請することができる。

310 ⬜⬜⬜

平31-26-ウ

甲登記所の管轄に属する乙土地の所有権の登記名義人であるAが死亡し、Aに配偶者B及び子Cがいる場合における、被相続人Aの法定相続情報一覧図（以下「一覧図」という。）に関して、BがAの相続人から廃除されたため、Cが乙土地を単独で相続したとして、AからCへの相続を登記原因とする所有権の移転の登記を申請する場合において、添付情報として、相続人をCのみとする被相続人Aの一覧図の写しを提供したときは、Bが廃除された旨の記載がされていることを証する戸籍の全部事項証明書の提供を省略することができる。

✕ **308**

法人の名称変更の場合は、法人の登記事項証明書等（会社法人等番号）を添付する。（平27.10.23民二512号）。

✕ **309**

登記原因証明情報として、商号変更を決議した株主総会議事録を提供して申請することはできない。

◯ **310**

相続人をCのみとする被相続人Aの一覧図の写しを提供したときは、Bが廃除された旨の記載がされていることを証する戸籍の全部事項証明書の提供を省略することができる。

311 □□□ 平31-26-オ

甲登記所の管轄に属する乙土地の所有権の登記名義人であるＡが
死亡し、Ａに配偶者Ｂ及び子Ｃがいる場合における、被相続人Ａの
法定相続情報一覧図（以下「一覧図」という。）に関して、Ｂが相
続の放棄をしたため、乙土地を単独で相続したＣがＡからＣへの相
続を原因とする所有権の移転の登記を申請する場合において、添
付情報として、被相続人Ａの一覧図の写しを提供したときは、Ｂの
相続放棄に係る相続放棄申述受理証明書の提供を省略することが
できる。

312 □□□ 令2-15-エ

所有権の登記名義人であるＡが死亡し、その配偶者Ｂが相続を放
棄したため、未成年の子Ｃが唯一の相続人となった場合において、
ＡからＣへの相続による所有権の移転の登記をＣの法定代理人と
してＢが申請するときに、ＢがＣの法定代理人であることを証する
情報としてＡの法定相続情報一覧図の写しを提供して申請するこ
とはできない。

313 □□□ 平22-27-ウ改題

仮登記所有権に対してする抵当権設定の仮登記の申請をする際に
は、登記義務者の登記識別情報の提供を要する。

314 □□□ 平7-25-オ（平18-18-イ、平24-16-エ、平30-19-ア）

破産管財人が裁判所の許可を得て、破産財団に属する破産者所有
の不動産を売却し、その所有権の移転の登記を申請する場合には、
破産者の登記識別情報を提供することを要しない。

× 311

法定相続情報一覧図の写しはあくまで相続があったことを証する市町村長その他の公務員が職務上作成した情報を代替するものであり、遺産分割協議書や相続放棄申述受理証明書等までをも代替するものではない（令6.3.21民二569号）。そのため、法定相続情報一覧図の写しを用いて相続を原因とする所有権の移転の登記を申請する場合において、相続放棄がされていたときは、相続放棄申述受理証明書等を提供しなければならない（登研831-3）。

○ 312

表題部所有者又は登記名義人の相続人が登記の申請をする場合において、その相続に関して法定相続情報一覧図の写しの提供をもって、法定代理人であることを証する情報の提供に代えることはできない（不登規37の3参照、平29.4.17民二292号参照、平30.3.29民二166号参照）。

× 313

抵当権設定の仮登記の申請をする場合であるため、登記識別情報の提供は不要である（107Ⅱ）。

○ 314

破産管財人が破産財団に属する不動産を売却するには、金額によらず裁判所の許可が必要とされている（破78Ⅱ①）。この許可があれば登記申請の真正は担保され得るので、さらに破産者の登記識別情報の提供は不要とされている（昭34.5.12民甲929号参照）。

平14-24-オ（平18-18-ウ）

相続財産清算人が家庭裁判所の許可を得て相続財産に属する不動産を売却したことによる所有権移転登記の申請書には、登記義務者の登記識別情報を提供することを要しない。

316 平26-12-イ

Ａ及びＢが所有権の登記名義人である甲土地について、共有物分割禁止の定めに係る所有権の変更の登記を申請する場合には、Ａ及びＢに対してそれぞれ通知された登記識別情報を提供しなければならない。

317 平30-19-イ

甲土地について、甲区１番でＡを登記名義人とする所有権の保存の登記がされた後に、甲区１番付記１号でＡ及びＢの共有名義とする更正の登記がされている場合において、Ａ及びＢを設定者とする抵当権の設定の登記を申請するときは、甲区１番及び甲区１番付記１号で通知された登記識別情報を提供することを要する。

318 平30-19-ウ

Ａを所有権の登記名義人とする甲土地について、Ａとその配偶者Ｂが離婚した後、ＡからＢへの財産分与を登記原因とする所有権の移転の登記を申請する旨の公正証書が作成された場合において、当該公正証書を登記原因証明情報として、ＡからＢへの所有権の移転の登記を申請するときは、Ａに対して通知された登記識別情報を提供することを要しない。

○ 315

相続財産法人が登記義務者となり、相続財産清算人が家庭裁判所の権限外の行為の許可を証する情報を提供して登記を申請する場合には、登記義務者の登記識別情報の提供を要しない（登研606-199参照）。

○ 316

共有者間で、共有物分割禁止の特約がなされた場合、当該特約は共有物不分割の契約当事者全員からの申請によりなされる（昭49.12.27民三6686号）。そして、当該申請には、申請人全員の所有権取得の際の登記識別情報を提供しなければならない（不登令8Ⅰ④）。

○ 317

Aについては、A単有時に通知された登記識別情報が、Bについては更正登記後に通知された登記識別情報が、以後それぞれの登記識別情報となる（昭40.10.2民甲2852号）。したがって、A及びBを設定者とする抵当権の設定の登記を申請するときは、甲区1番及び甲区1番付記1号で通知された登記識別情報を提供することを要する。

✕ 318

公正証書を登記原因証明情報として提供して所有権の移転の登記を申請する場合であっても、原則どおり、登記義務者の登記識別情報を提供することを要する。

Ａが甲区２番及び甲区３番でそれぞれ所有権の持分を２分の１ずつ取得し、Ａを所有権の登記名義人とする甲土地について、甲区２番で登記された持分のみを目的とする抵当権の設定の登記を申請するときは、甲区３番の持分を取得したときに通知された登記識別情報を提供することを要しない。

権利の一部移転の登記の登記原因に共有物分割禁止の特約がある場合において、共有物分割禁止の定めがある旨を申請情報として提供して当該権利の一部移転の登記を申請するときは、当該権利の共有者全員の登記識別情報を提供する必要がある。

甲土地にＡを抵当権者とする順位１番の抵当権の設定の登記及びＢを抵当権者とする順位２番の抵当権の設定の登記がされている場合において、Ｂの抵当権を順位１番とし、Ａの抵当権を順位２番とする抵当権の順位の変更の登記を申請するときは、Ｂに対して通知された登記識別情報の提供を要しない。

地代の増額による地上権の変更登記の申請情報と併せて提供すべき登記識別情報は、地上権の目的である土地の所有権登記名義人の登記識別情報である。

○ **319**

同一名義人につき数個の持分取得の登記がある場合において、ある1つの順位番号で登記されている持分を目的として抵当権の設定の登記を申請する際に提供すべき登記識別情報は、その目的となる持分を取得したときに通知された登記識別情報で足りる（22、昭58.4.4民三2252号参照）。

× **320**

権利の一部移転の登記を申請する場合において、登記原因に共有物分割禁止の特約がある場合には、当該定めは、特約として権利の一部移転登記の申請情報の内容となる（不登令3⑪二）。この場合、共有物分割禁止特約に基づく登記は、権利の一部移転登記に吸収されるため、権利の一部移転登記の登記義務者の登記識別情報を提供すれば足りる。

× **321**

抵当権の順位変更の登記申請は、いわゆる合同申請という申請構造をとり（89Ⅰ）、申請人たる抵当権者それぞれの登記識別情報を提供しなければならない（89Ⅰ、不登令8Ⅰ⑥）。

× **322**

地代の増額により、地上権者の負担が増大することから、地上権登記名義人が登記義務者になる。そのため、地上権登記名義人の登記識別情報が必要となる。

323 ☐☐☐　平21-25-ウ（平19-12-エ、平24-16-ア、令3-21-イ）

抵当権者が売買によりその抵当権の目的である不動産の所有権を取得した場合において、混同を原因として抵当権の登記を抹消するときは、登記権利者と登記義務者が同一人であっても、登記義務者の権利に関する登記識別情報を提供して申請しなければならない。

324 ☐☐☐　　　　　　　　　　　　　　　　　　令3-22-オ

根抵当権者と根抵当権設定者が共同して根抵当権の元本確定の登記を申請する場合には、添付情報として根抵当権者が当該根抵当権の設定の登記を受けた際に通知された登記識別情報を提供することを要する。

325 ☐☐☐　　　　　　　　　　　　　　　　　　平19-19-ア

根抵当権者による元本の確定請求があったことを原因とする元本の確定の登記は、当該根抵当権者が単独で申請することができ、この場合は、登記識別情報を提供しなければならない場合に該当しない。

326 ☐☐☐　　　　　　　　　　　　　　　　　　平30-19-オ

甲土地について、Aを抵当権者とする順位1番の抵当権、Bを根抵当権者とする順位2番の根抵当権、Cを抵当権者とする順位3番の抵当権の設定の登記がそれぞれされている場合において、Cの抵当権を順位1番、Aの抵当権を順位3番とする順位の変更の登記を申請するときは、Bに対して通知された登記識別情報を提供することを要しない。

○ **323**

混同を原因として抵当権の登記を抹消するときは、登記権利者及び登記義務者が同一人であっても、登記義務者の権利に関する登記識別情報を提供しなければならない（平2.4.18民三1494号）。

○ **324**

根抵当権の元本確定の登記を登記権利者と登記義務者が共同して申請する場合には、登記義務者である根抵当権者の登記識別情報を提供しなければならない（22）。

○ **325**

民法398条の19第2項により根抵当権の担保すべき元本が確定した場合の登記は、60条の規定にかかわらず、当該根抵当権の登記名義人が単独で申請することができる（93）。したがって、登記識別情報を提供しなければならない場合に該当しない（22）。

× **326**

Cの抵当権を第1順位、Aの抵当権を第3順位とする順位変更をする場合、登記記録上の順位に変更のないBも含め、A、B及びCが共同して当該順位の変更の登記を申請しなければならず（昭46.10.4民甲3230号）、申請人全員が各自の抵当権の設定の登記の後に通知された登記識別情報を申請情報と併せて提供することを要する（不登令8Ⅰ⑥）。

327 ☐☐☐ 平24-16-ウ（平4-22-ア、平8-20-イ、平22-27-オ）

代物弁済を登記原因とする所有権移転請求権の仮登記がされている場合において、所有権移転請求権の移転の登記を申請するときは、申請人は、所有権移転請求権の仮登記の登記名義人に通知された登記識別情報を提供しなければならない。

328 ☐☐☐ 平24-16-イ

抵当権の設定の登記がされた後に当該登記に債務者として記録されている者が死亡し、共同相続人がその債務を相続した場合において、抵当権の変更の登記を申請するときは、申請人は、抵当権の登記名義人に通知された登記識別情報を提供しなければならない。

329 ☐☐☐ 平18-18-オ（平4-28-3）

債権譲渡による抵当権の移転の登記がされている抵当権の登記の抹消を申請する場合には、当該抵当権の移転の登記がされたときに通知された登記識別情報を提供すれば足り、当該抵当権の設定の登記がされたときに通知された登記識別情報を提供することは要しない。

330 ☐☐☐ 平18-18-エ

抵当権の移転の仮登記の登記権利者及び登記義務者が共同して当該仮登記を申請するときは、登記義務者の登記識別情報を提供する必要がある。

○ **327**

所有権移転請求権の移転の登記を申請する場合は、申請人は、所有権移転請求権の仮登記の登記名義人に通知された登記識別情報を提供しなければならない（昭39.8.7民甲2736号）。

× **328**

登記権利者及び登記義務者が共同して権利に関する登記を申請する場合は、登記義務者の登記識別情報を提供しなければならない（22）。この点、債務者が死亡したことによる抵当権の債務者の変更の登記を申請するときは、抵当権設定者に通知された登記識別情報を提供しなければならない。

○ **329**

本肢の申請では、債権譲渡により抵当権を取得し、その移転の登記を受けた者を登記義務者として登記の抹消を申請する。この場合に提供する登記識別情報は、抵当権の移転の登記を受けたときに通知された登記識別情報を提供すれば足りる（登研154-63）。

× **330**

抵当権移転の仮登記の登記権利者及び登記義務者が共同して当該仮登記を申請するときは、登記義務者の登記識別情報を提供することを要しない（107Ⅱ・22本文）。

331 □□□ 平26-12-ア

甲土地にＡを抵当権者とする抵当権の設定の仮登記がされている場合において、Ａが単独で当該仮登記の抹消を申請するときは、Ａに対して通知された登記識別情報を提供しなければならない。

332 □□□ 平5-24-ウ（平22-27-エ）

混同を原因として所有権移転仮登記の抹消を申請する場合は、仮登記名義人の登記識別情報を提供することを要する。

333 □□□ 平15-16-ア

会社分割を原因とする所有権移転登記は、分割会社の登記識別情報を提供しなくても、申請することができる。

334 □□□ 平29-15-オ

官公署が登記義務者として所有権の移転の登記を嘱託するときは、登記義務者の登記識別情報を提供しなければならない。

335 □□□ 平22-19-オ

官庁又は公署が登記義務者として所有権の移転の登記を嘱託し、その登記がされた後、解除を登記原因として当該所有権の移転の登記の抹消を嘱託する場合には、登記義務者についての所有権に関する登記識別情報の提供は要しない。

○ **331**

仮登記の抹消は、60条の規定にかかわらず、仮登記の登記名義人が単独で申請することができる（110前段）。そして、仮登記の登記名義人が単独で仮登記の抹消の申請をする場合は、当該仮登記の登記名義人の登記識別情報を提供しなければならない（不登令8Ⅰ⑨、22本文）。

○ **332**

所有権に関する仮登記を混同を原因として抹消する場合でも、登記義務者（仮登記名義人）の登記識別情報の提供を要する（登研427-97参照）。

× **333**

会社分割による権利移転登記は、設立会社又は承継会社が登記権利者、分割会社が登記義務者となって共同で申請するので、原則どおり、登記義務者の登記識別情報の提供を要する（22）。

× **334**

官公署が登記義務者として所有権の移転の登記を嘱託するときは、登記義務者の登記識別情報の提供を要しない（明36.5.13民刑361号）。

○ **335**

官庁又は公署が登記権利者として登記を嘱託する場合は、登記義務者の承諾を証する情報を添付することとされており（不登令別表73項添ロ）、これによって登記の真正は十分確保されるので、登記識別情報を添付する必要はない。

信託財産に属する不動産を受託者の固有財産に属する財産とした場合において、受託者の固有財産となった旨の登記及び信託の登記の抹消を申請するときは、申請人は、所有権の登記名義人である受託者に通知された登記識別情報を提供しなければならない。

一の申請情報で複数の不動産の所有権の移転の登記を申請する場合には、登記名義人となる申請人は、不動産ごとに登記識別情報の通知を希望するかどうかを選択し、特定の不動産についてのみ通知を希望しない旨の申出をすることができる。

一の申請情報により、3筆の土地についていずれもA及びBが登記名義人となる所有権の移転の登記の申請がされ、当該登記が完了した場合には、A及びBに対し、各3個の登記識別情報が通知される。

A株式会社が抵当権の登記名義人である甲土地につき、A株式会社からB株式会社への合併を登記原因とする抵当権の移転の登記の申請と、弁済を登記原因とする当該抵当権の抹消の登記の申請とが連件でされた場合には、B株式会社に対して登記識別情報は通知されない。

✕ **336**

信託財産に属する不動産を受託者の固有財産に属するとする財産とした場合、登記権利者を受託者、登記義務者を受益者として、受託者の固有財産となった旨の登記及び信託の登記の抹消を申請する（104の2Ⅱ表二）。したがって、受託者の登記識別情報の提供は要しない。

◯ **337**

一の申請情報で複数の不動産の所有権移転の登記を申請する場合、登記名義人となる申請人は、不動産ごとに登記識別情報の通知を希望するかどうかを選択し、特定の不動産についてのみ通知を希望しない旨を申し出ることができる（21但書、不登規64Ⅰ①）。

◯ **338**

登記識別情報は、登記をすることによって登記名義人となる申請人がある場合に通知される（21本文）。そして、登記識別情報は、不動産及び登記名義人となった申請人ごとに定められる（不登規61）。

✕ **339**

Ｂ株式会社は、抵当権移転の登記の申請人であり、かつ、自らが登記名義人となる場合であるため、Ｂ株式会社に対して登記識別情報が通知される（21本文）。

340 ▮▮▮

平23-12-ア

Aがその所有不動産をBに売却したが、その所有権の移転の登記が未了のままBが死亡し、CがBを相続した場合において、A及びCが共同して当該登記の申請をし、当該登記が完了したときは、Cに対し、B名義の登記識別情報が通知される。

341 ▮▮▮

平17-13-イ（平2-27-ウ、平6-12-ア）

Bが、共同相続人A、B及びCのために、相続を原因とするA、B及びCへの所有権の移転の登記を単独で申請した場合、Aは登記識別情報の通知を受けることができる。

342 ▮▮▮

平17-13-オ（平27-12-3、令3-17-オ）

根抵当権の登記名義人Aが、根抵当権設定者Bとともに、極度額の増額による根抵当権の変更の登記を申請した場合、Aは登記識別情報の通知を受けることができる。

343 ▮▮▮

平27-12-2

Aが、Bに対してAを所有権の登記名義人とする甲土地を売却したが、BがAからBへの所有権の移転の登記の申請に協力しないため、Bに対して当該移転の登記手続を求める訴えを提起し、その請求を認容する判決が確定した場合において、Aが当該判決に基づき単独で当該移転の登記を申請したときは、Aに対して登記識別情報は通知されない。

○ **340**

被相続人名義への所有権移転の登記が未了のまま被相続人が死亡したため、相続人から当該登記の申請がされた場合（62）、登記識別情報は、申請人である相続人に対して通知される（平18.2.28民二523号）。

× **341**

登記をすることによって登記名義人となる者であっても、申請人ではない者に対しては、登記識別情報は通知されない（21本文）。

× **342**

根抵当権の登記名義人Aは、根抵当権設定者Bとともに極度額の増額による根抵当権の変更の登記を申請した場合、その登記をすることによって登記名義人になる者ではないため、登記識別情報の通知を受けることができない。

○ **343**

Aは判決による登記の申請人となるが、当該申請をすることによって申請人自らが登記名義人となる場合ではないため、Aに対して登記識別情報は通知されない。

Ａが、Ｂ及びＣとともに、売買を原因とするＢからＣへの所有権の移転の登記を、売買を原因とするＢからＡ及びＣへの所有権の移転の登記に更正する登記を申請した場合、Ａは登記識別情報の通知を受けることができる。

売買を登記原因とするＡからＢに対する所有権の移転の登記と同時にした買戻しの特約の登記がされている甲不動産について、買戻しの期間が満了する前に買戻権の行使によるＢからＡへの所有権の移転の登記が完了した場合には、当該登記の申請人であるＡに対して登記識別情報は通知されない。

ＡとＢとの共有の登記がされた不動産について、Ａのみを所有者とする所有権の更正の登記がされた場合には、Ａに対して登記識別情報が通知されない。

Ａの持分が2分の1、Ｂの持分が2分の1であるとの登記がされた共有不動産について、その持分をＡは3分の1とし、Ｂは3分の2とする所有権の更正の登記がされた場合には、Ｂに対して登記識別情報が通知されない。

Ｂに成年後見人が選任されている場合において、当該成年後見人が法定代理人として自ら、Ａを売主、Ｂを買主とする売買を登記原因とする所有権の移転の登記の申請をし、その登記が完了したときは、登記識別情報は当該成年後見人に通知される。

○ **344**

Aは、その登記をすることによって登記名義人となる者であるため、登記識別情報の通知を受けることができる。

× **345**

買戻権の行使により、自ら登記申請を行った所有権登記名義人となるAに対し、登記識別情報が通知される。

× **346**

A・B共有の登記がされた不動産につき、Aの単独所有とする所有権の更正登記がされた場合、Aは、その登記により登記名義人となる者に当たり、Aに対して登記識別情報が通知される。

○ **347**

共有者の持分の更正登記がされたとしても、新たに登記名義人が出現することはないため、Bに対して登記識別情報の通知はされない（21参照）。

○ **348**

法定代理人（支配人その他の法令の規定により当該通知を受けるべき者を代理することができる者を含む。）によって登記の申請が行われている場合には、当該法定代理人に対して登記識別情報の通知がされる（不登規62Ⅰ①）。

349 ☐☐☐ 平20-13-エ（平22-16-ウ、平23-12-エ）

Ａ所有の不動産について、Ｂ所有の要役地のために地役権の設定の登記がされた場合には、Ｂに対して登記識別情報が通知される。

350 ☐☐☐ 平23-12-ウ

ＡからＢへの所有権の移転の登記が抹消された場合には、Ａに対し、新たに登記識別情報が通知される。

351 ☐☐☐ 令3-17-イ

甲不動産について、ＢからＡに対する所有権の移転の登記がされ、その後、錯誤を登記原因として当該所有権の移転の登記が抹消された場合において、当該抹消の原因が存在していなかったとして当該抹消された所有権の移転の登記の回復が完了したときは、当該回復の申請人であるＡに対して登記識別情報が通知される。

352 ☐☐☐ 平17-13-ア

Ｂの債権者Ａが、Ｂに代位して、相続を原因とするＢ及びＣへの所有権の移転の登記を申請した場合、Ａは登記識別情報の通知を受けることができる。

353 ☐☐☐ 令3-17-エ

Ａを所有権の登記名義人とする甲不動産をＡがＢに売却したが、Ｂが所有権の移転の登記手続に協力しない場合において、Ａが、Ｂに当該所有権の移転の登記手続をすべきことを命ずる確定判決の正本を添付して、単独で当該所有権の移転の登記の申請をし、その登記が完了したときは、Ｂに対して登記識別情報は通知されない。

× **349**

地役権の設定登記において、登記名義人となる者が存在しないため（80Ⅱ参照）、登記識別情報が通知されることはない。

× **350**

所有権移転の登記が抹消された場合、当該抹消の登記をすることによって、申請人である前所有権登記名義人が新たに登記名義人となるわけではないため、登記識別情報は通知されない。

× **351**

抹消回復により、所有権の登記名義を回復しても「新たに」所有権登記名義人として登記されるものではないため、登記識別情報は通知されない。

× **352**

Bの債権者Aは、Bに代位して相続を原因とするB及びCへの所有権の移転の登記を申請した場合、申請人であっても登記名義人とならない者であるため、登記識別情報の通知を受けることができない。

○ **353**

自ら登記申請を行っていないBに対し、登記識別情報は通知されない。

354 □□□   平20-13-ア

　A所有の不動産について、AからBへの所有権の移転の登記の申請と、BからCへの所有権の移転の登記の申請とが連件でされた場合には、B及びCに対して登記識別情報が通知される。

355 ■□□   平20-13-イ（平3-16-1）

　ある不動産の共有者Aの持分に抵当権の設定の登記がされている場合において、Aが他の共有者の持分を取得し、単独所有となったため、抵当権の効力を所有権全部に及ぼす変更の登記がされたときは、抵当権者に対して登記識別情報が通知される。

356 □□□   平22-16-ウ

　地上権設定の登記が完了すると、登記権利者に対して登記識別情報が通知される。

357 □□□   令3-17-ウ

　Aを委託者兼受益者、Bを受託者として信託を登記原因とする所有権の移転の登記及び信託の登記がされている甲不動産について、AがCに対して当該信託に係る受益権を売却したことにより、CがBに代位して受益者の変更の登記を完了した場合には、当該登記の申請人であるCに対して登記識別情報が通知される。

358 □□□   平17-13-ウ

　官庁又は公署が、登記義務者として、売買を原因とするAへの所有権の移転の登記を嘱託した場合、Aは登記識別情報の通知を受けることができる。

○ **354**

中間登記名義人であるＢは、登記識別情報の通知を受ける前に、登記名義人でなくなっているが、この場合でも申請人自らが登記名義人となる場合に該当するため、中間登記名義人Ｂ及び最終の登記名義人Ｃに対して登記識別情報は通知される。

× **355**

抵当権の及ぼす変更登記がされた場合の抵当権者は、その登記をすることで登記名義人となる者ではなく、登記識別情報は通知されない。

○ **356**

地上権の設定登記においては、地上権者が登記名義人となることから、当該地上権者に登記識別情報が通知される。

× **357**

信託の登記の登記事項における受益者の氏名又は名称及び住所は、信託目録の記録事項であるため（97Ⅰ①・Ⅲ）、受益者は登記名義人とはならない。また、受益者は、受託者に代わって信託の登記を申請することができるが（99）、代位登記における代位者は登記名義人とはならない。したがって、Ｃに対して登記識別情報は通知されない。

○ **358**

官庁又は公署が、登記義務者として、売買を原因とするＡへの所有権の移転の登記を嘱託した場合には、登記識別情報は嘱託官庁又は公署に通知された後、当該官庁又は公署から登記名義人に通知されることになる（117）。

官庁又は公署が登記義務者として所有権の移転の登記を嘱託した場合において、官庁又は公署が登記権利者についての登記識別情報の通知を受けるためには、登記権利者から特別の委任を受けなければならない。

官庁又は公署が登記権利者として所有権の移転の登記を嘱託した場合において、登記識別情報の通知を受けるためには、あらかじめその通知を希望する旨の申出をしなければならない。

同一の登記所の管轄区域内にある二以上の土地について、一の申出情報によって登記識別情報の失効の申出をすることができる。

登記識別情報の失効の申出をする場合には、登記識別情報の提供を要しない。

司法書士が登記名義人の相続人を代理して登記識別情報の失効の申出をする場合には、当該登記名義人に相続があったことを証する情報を提供しなければならない。

✕ **359**

官庁又は公署が登記義務者として登記を嘱託した場合において、登記が完了すると、登記識別情報の通知は、登記官から官庁又は公署に通知され、当該官庁又は公署から登記権利者となった登記名義人に登記識別情報を通知しなければならず、この場合、登記権利者から特別の委任を受ける必要はない（117）。

◯ **360**

官庁又は公署が登記権利者として登記を嘱託した場合、登記が完了しても、原則として登記識別情報の通知はされない（不登規64Ⅰ④）が、官庁又は公署があらかじめ通知を希望する旨の申出をした場合には、登記識別情報の通知がされる（不登規64Ⅰ④括弧書）。

✕ **361**

失効申出情報は、一の登記識別情報ごとに作成して提供しなければならない。したがって、同一の登記所の管轄区域内にある二以上の不動産について、一の申出情報によって、登記識別情報の失効の申出をすることはできない（登研733-112）。

◯ **362**

登記識別情報の失効の申出をする場合においては、申出情報と併せて登記識別情報を提供することを要しない（登研666-81）。

◯ **363**

登記識別情報の失効の申出において、申出人が登記名義人の相続人その他の一般承継人であるときは、当該登記名義人に相続等があったことを証する情報の提供を要する（不登規65Ⅴ本文）。

364 □□□

登記識別情報の失効の申出をする場合には、登記手数料の納付を
要しない。

365 □□□

書面によって登記識別情報の失効の申出をした場合には、その申
出に当たって提供した印鑑に関する証明書の原本の還付を請求す
ることができる。

366 □□□

甲登記所の管轄に属する乙土地の所有権の登記名義人であるAが
死亡し、Aに配偶者B及び子Cがいる場合における、被相続人Aの
法定相続情報一覧図（以下「一覧図」という。）に関して、Bは、
相続があったことを証する公務員が職務上作成した情報として、
被相続人Aの一覧図の写しを提供して、Aが通知を受けた乙土地
の登記識別情報の失効の申出をすることはできない。

367 □□□

同一の登記所の管轄区域内にある二以上の土地について、一の請
求情報によって登記識別情報が有効であることの証明の請求をす
ることができる。

368 □□□

登記識別情報が有効であることの証明の請求をする場合には、登
記識別情報の提供を要しない。

○ **364**

失効申出については、手数料を納付する必要はない。

✕ **365**

申出情報を記載した書面を登記所に提出する方法によって登記識別情報の失効の申出をする場合、原則として、申出情報を記載した書面には、申出人の印鑑証明書を添付しなければならないが(不登規65Ⅹ、不登令16Ⅱ)、申出人は当該印鑑証明書につき、原本の還付を請求することはできない（不登規65ⅩⅠ・55Ⅰ）。

✕ **366**

法定相続情報一覧図の写し又は法定相続情報番号を提供したときは、当該法定相続情報一覧図の写し又は当該法定相続情報番号の提供をもって、相続があったことを証する市町村長その他の公務員が職務上作成した情報の提供に代えることができる（不登規37の3Ⅰ）。

○ **367**

同一の登記所の管轄区域内にある二以上の不動産について、一の請求情報によって、登記識別情報の有効証明請求をすることができる（不登規68Ⅶ、不登令4）。

✕ **368**

登記識別情報の有効証明請求をするときは、有効証明請求情報と併せて登記識別情報を提供しなければならない（不登規68Ⅱ）。

司法書士が登記名義人を代理して登記識別情報が有効であることの証明を請求する場合には、代理権限証明情報の提供を要しない。

司法書士が登記名義人の相続人を代理して登記識別情報が有効であることの証明の請求をする場合には、当該登記名義人に相続があったことを証する情報を提供しなければならない。

登記識別情報が有効であることの証明の請求をする場合には、登記手数料の納付を要しない。

書面によって登記識別情報が有効であることの証明の請求をした場合には、その請求に当たって提供した印鑑に関する証明書の原本の還付を請求することができる。

○ 369

資格者代理人によって登記識別情報が有効であることの証明の請求をする場合には、代理権限証明情報を提供することを要しない（不登規68Ⅶ、不登令7Ⅰ②）。

✕ 370

登記識別情報の有効証明請求において、申出人が登記名義人の相続人その他の一般承継人であるときは、当該登記名義人に相続等があったことを証する情報の提供を要するが（不登規68Ⅵ）、資格者代理人によって登記識別情報の有効証明の請求をする場合には、当該情報を提供することを要しない（平20.1.11民二57号）。

✕ 371

登記識別情報の有効証明請求は、手数料を納付してしなければならない（不登令22）。

○ 372

有効証明請求情報を記載した書面を提出する方法によって登記識別情報の有効証明請求をする場合、原則として、有効証明請求情報を記載した書面には、請求人の印鑑証明書を添付しなければならない（不登規68Ⅺ・Ⅲ②、不登令16Ⅱ）。上記の印鑑証明書については原本の還付を請求することができる（不登規68Ⅻ・55Ⅰ本文）。

登記の申請において、登記識別情報の提供ができない場合にされる登記義務者に対する事前通知（登記の申請があった旨及び当該申請の内容が真実であると思料するときはその旨の申出をすべき旨の通知をいう。）に対し、法務省令で定められた期間内に登記義務者から申請の内容が真実である旨の申出がされたときは、当該申出に係る登記の申請は、当該申出がされた時に受付がされたことになる。

売買を登記原因とする所有権の移転の登記の申請につき事前通知及び前の住所地への通知がされた場合において、当該前の住所地への通知を受け取った者から当該申請について異議の申出があったときは、登記官は、当該申請を却下しなければならない。

抵当権の設定の登記について、その申請人が登記識別情報を提供できないために登記義務者に対して事前通知をする場合において、当該登記義務者の住所について変更の登記がされているときは、登記官は、当該登記義務者の登記記録上の前の住所に宛てて、当該登記の申請があった旨を通知しなければならない。

× **373**

事前通知が行われる場合の受付の順位は、通知に対し間違いない旨の申出があった時点ではなく、申請時に受付がされる（登研680-31）。

× **374**

登記官は、登記が完了する前に、前住所への通知を受け取った者からの異議があった場合、その登記の申請人についての本人確認の調査を行い、申請人となるべき者からの申請であるか否かの判断を行う（不登準則別記56号様式参照）。

× **375**

登記官は、事前通知が必要な登記の申請が所有権に関するものである場合において、登記義務者の住所の変更の登記がされているときは、原則として、当該登記義務者の登記記録上の前の住所地にあてて、当該申請があった旨を通知しなければならないが（23Ⅱ・Ⅰ、不登規71Ⅱ参照）、抵当権の設定の登記に際しては、当該通知は不要である。

日本国内に住所を有する登記義務者に対して登記官が事前通知を発送した日から2週間内に当該登記義務者から申請の内容が真実である旨の申出がされなかったときは、申請は却下される。

Aに成年後見人が選任されている場合において、Aを売主、Bを買主とする売買を登記原因とする所有権の移転の登記の申請の添付情報として資格者代理人が作成した本人確認情報を提供するときは、当該本人確認情報は、当該成年後見人についてのものであることを要する。

電子情報処理組織を使用する方法で不動産登記の申請の手続をした場合であっても、事前通知は、書面を送付してされ、登記義務者から申請の内容が真実である旨の申出も、書面であることを要する。

所有権の移転の登記が書面により申請され、不動産登記法第23条第1項の通知がされた場合に申請人が行う当該申請の内容が真実である旨の申出は、電子情報処理組織を使用する方法によって行うことができる。

◯ **376**

事前通知制度は、登記識別情報を提供することができない場合に、登記義務者に対して、当該申請があった旨及び当該内容が真実であると思料するときは、期間内にその申出をすべきことを通知する制度である（23Ⅰ、不登規70Ⅷ）。そして、この期間内に当該登記義務者から申請の内容が真実である旨の申出がされなかったときは、申請は却下される（25⑩）。

◯ **377**

登記名義人が成年被後見人である場合は、その成年後見人が「申請の権限を有する者」となるため、資格者代理人が作成した本人確認情報を提供するときは、成年後見人についてのものであることを要する（不登規72Ⅰ①参照）。

✕ **378**

登記義務者からの申請の内容が真実である旨の申出は、電子情報処理組織を使用する方法により登記所に送信する方法による（不登規70Ⅴ①）。

✕ **379**

当該23条1項に規定する申出は、書面申請の場合は、書面に押印した上、登記所に提出する方法によりしなければならない（不登規70Ⅴ②）。

　　　　　　　　　　　　　　平17-16-エ（平23-13-ウ）

所有権に関する登記の申請において、登記識別情報の提供ができない場合に、当該申請の代理人となった司法書士が、当該申請人が登記義務者であることを確認するために必要な情報を提供したときは、登記官においてその情報の内容が相当と認められる場合に限り、事前通知が省略される。

　　　　　　　　　　　　　　　　　　　　平17-16-オ

所有権以外の権利に関する登記の申請において、登記識別情報の提供ができない場合に、当該申請の代理人となった司法書士が、当該申請人が登記義務者であることを確認するために必要な情報を提供したときは、事前通知に代えて、登記の完了後に、当該登記義務者に対して当該登記の申請があった旨の通知がされる。

　　　　　　　　　　　　　　　　　　　　平19-14-エ

Ａを所有権の登記名義人とする不動産につき、Ａを売主、Ｂを買主とする売買契約が締結された後、登記識別情報を提供することなくＡからＢへの売買を原因とする所有権の移転の登記を申請した場合において、事前通知を受けたＡが、当該申請が真実であるか否かの申出をする前に死亡したときは、当該申出は、Ａの相続人のうちの一人からすることができる。

○ **380**

本肢のとおりである。登記官がその情報の内容を相当と認められる場合に限り、事前通知を省略することができる（23Ⅳ①）。

× **381**

登記の申請の代理人となった資格者代理人である司法書士が、当該申請人が登記義務者であることを確認するために必要な情報を提供したときは、事前通知に代えて、登記完了後に、当該登記義務者に対して当該登記の申請があった旨の通知がされるという規定は存在しない。

× **382**

事前通知を受けた者が申出をする前に死亡した場合、相続人から相続があったことを証する情報を提供して申出ができる。しかし、相続人の一人からすることはできず、相続人全員でしなければならない（不登準則46Ⅰ）。

登記義務者の最後の住所の変更の登記の申請の日から３か月を経過して所有権に関する登記の申請をする場合において、正当な理由があることにより登記識別情報を提供することができないときは、事前通知は送付されるが、当該登記をする前に、登記義務者の登記記録上の前の住所に宛てて当該申請があった旨の通知はされない。

甲不動産の所有権の移転の登記（以下「本件登記」という。）の申請に際して申請人が登記義務者の登記識別情報を提供することができない場合における、甲不動産の所有権の登記名義人の住所の変更の登記と当該登記名義人を登記義務者とする本件登記の申請を同時にした場合において、その住所の変更の登記に係る住所の変更があった日から３か月を経過しているときは、登記官は、事前通知のほかに、本件登記の登記義務者の登記記録上の前の住所にあてて、本件登記の申請があった旨の通知をすることを要しない。

登記義務者が法人であり、その本店について変更の登記がされ、所有権に関する登記の申請をする場合において、正当な理由があることにより登記識別情報を提供することができないときは、事前通知のほか、当該登記をする前に、登記義務者の登記記録上の前の本店に宛てて当該申請があった旨も通知される。

○ **383**

事前通知が必要な登記申請が所有権に関するものである場合において、登記申請前3か月以内に登記義務者の住所変更の登記がされている場合は、事前通知の他に、登記義務者の登記記録上の前住所地にあてて、当該申請があった旨が普通郵便により通知される（23Ⅱ・Ⅰ）。しかし、所有権に関する登記の申請がされた日が、登記義務者の住所変更の登記がされた日から3か月を経過している場合、前住所への通知はされない（不登規71Ⅱ②）。

× **384**

登記官は、事前通知が必要な登記の申請が所有権に関するものである場合において、当該申請前3か月以内に登記義務者の住所の変更の登記の申請の受付がされているときは、原則として、事前通知のほか、当該登記義務者の登記記録上の前の住所にあてて、当該申請があった旨を通知しなければならない（23Ⅱ・Ⅰ、不登規71Ⅱ②参照）。

× **385**

登記義務者が法人である場合において、登記申請に事前通知が必要な所有権に関するものであり、当該法人の本店について変更の登記がされているときであっても、当該法人の登記記録上の前の本店にあてて当該申請があった旨の通知は行われない（23Ⅱ・Ⅰ、不登規71Ⅱ③）。

債権譲渡を登記原因とする抵当権の移転の登記の申請につき事前
通知がされる場合においては、当該移転の登記の申請が登記義務
者の住所についてされた最後の変更の登記の申請に係る受付の日
から3か月以内にされているときであっても、前の住所地への通知
はされない。

売買を登記原因とする所有権の移転の登記の申請につき当該申請
の代理人である司法書士から本人確認情報の提供があった場合に
おいて、当該情報の内容が相当であり、かつ、その内容により申請
人が登記義務者であることが確実であると認められるときは、前
の住所地への通知はされない。

農地について所有権の移転の登記がされている場合において、売
買契約の合意解除を原因として当該登記の抹消を申請するときは、
農地法所定の許可を証する情報を提供することを要する。

農地につき、債務不履行による売買契約の解除を原因とする所有
権移転登記の抹消の申請をする場合には、農地法所定の許可書を
申請書に添付することを要する。

○ **386**

抵当権移転の登記の申請につき事前通知がされる場合であって
も、前の住所地への通知はされない（23Ⅱ・Ⅰ、不登規71Ⅱ②）。

○ **387**

不登規71条2項1号から3号に掲げる場合のほか、資格者代理
人から不登規72条1項に規定する本人確認情報の提供があった
場合において、当該本人確認情報の内容により申請人が登記義務
者であることが確実であると認められるときは、当該登記義務者
の登記記録上の前の住所にあてて当該申請があった旨の通知はさ
れない（不登規71Ⅱ④）。

○ **388**

農地について所有権の移転の登記がされている場合において、売
買契約の合意解除を原因として当該登記の抹消を申請するとき
は、農地法所定の許可があったことを証する情報の提供が必要で
ある（昭31.6.19民甲1247号参照）。

× **389**

農地について、債務不履行による売買契約の解除を原因として所
有権移転登記の抹消を申請する場合には、農地法3条の許可が
あったことを証する情報を申請情報と併せて提供することを要し
ない（昭31.6.19民甲1247号参照）。

390 ☐☐☐　　　　　　　　平6-19-ウ（平2-23-4、平21-13-ア）

共有農地の共有物分割による持分移転の登記の申請書には、農地法所定の許可書を添付することを要する。

391 ☐☐☐　　　　平3-29-ア（平9-26-コ、平14-15-ア、平24-23-ア）

農地について、時効取得による所有権移転の登記を申請する場合、農地法所定の許可書の添付を要する。

392 ☐☐☐　　　　平3-29-ウ（平9-26-ウ、平19-27-ウ、平21-13-ア）

農地について、持分放棄による共有持分移転登記を申請する場合、農地法所定の許可書の添付を要する。

393 ☐☐☐　　　　　　　　平21-13-ウ（平9-26-エ、平14-15-オ）

農地について所有権の移転の登記を申請する場合における農地法第3条の許可を受けたことを証する情報の提供の要否について、法人格のない社団の代表者の変更に伴う委任の終了を原因とする所有権の移転の登記を申請する場合には不要であるが、民法第646条第2項の規定による移転を原因とする所有権の移転の登記を申請する場合には必要である。

○ **390**

共有農地の共有物分割による持分移転の登記の申請には、農地法所定の許可があったことを証する情報を申請情報と併せて提供することを要する（昭41.11.1民甲2979号参照）。

× **391**

時効取得は、原始取得なので農地法所定の許可があったことを証する情報の提供は不要である（昭52.8.22民三4239号参照）。

× **392**

持分放棄による移転は、他の共有者の単独行為による持分放棄の結果によって取得したものであるため、行政権の介入の余地はなく農地法所定の許可があったことを証する情報の提供は不要である。

○ **393**

農地について法人格のない社団の代表者の変更に伴う委任の終了を原因とする所有権の移転の登記を申請する場合、農地法3条の許可を受けたことを証する情報を提供することを要しない（昭58.5.11民三2983号）。これに対して、農地について民法646条2項の規定による移転を原因とする所有権の移転の登記を申請する場合、農地法3条の許可を受けたことを証する情報を提供することを要する（登研456-130）。

394 □□□ 平18-14-イ（平14-15-ウ）

農地についてAからBへ所有権の移転の登記がされている場合において、AB間の所有権の移転が虚偽表示によるものであって、AがCに当該農地を譲渡したことにより真正な登記名義の回復を原因としてBから従前の所有権の登記名義人でないCへ所有権の移転の登記を申請するときは、AからCへの所有権の移転についての農地法所定の許可を証する情報を提供することを要する。

395 □□□ 平21-13-オ（平元-28-オ）

調停による財産分与を原因とする所有権の移転の登記を申請する場合には、農地法第3条の許可を受けたことを証する情報の提供は不要である。

396 □□□ 平9-26-キ（平元-28-オ、平6-19-エ、平21-13-オ）

当事者間の協議による財産分与を原因とする所有権の移転の登記を申請する場合には農地法第3条の許可を受けたことを証する情報の提供は必要である。

397 □□□ 平24-23-イ

相続を原因とする農地の所有権移転の登記を申請する場合には、農地法所定の許可があったことを証する情報の提供を要する。

398 □□□ 平21-13-イ

遺産分割による贈与を原因とする所有権の移転の登記を申請する場合には農地法第3条の許可を受けたことを証する情報の提供は不要である。

○ **394**

農地についてAからBへの所有権の移転の登記がされている場合において、真正な登記名義の回復を原因としてBから従前の所有権の登記名義人でないCへの所有権の移転の登記を申請するときは、AからCへの所有権の移転についての農地法所定の許可を証する情報を提供することを要する（昭40.12.9民甲3435号）。

○ **395**

農地について調停による財産分与を原因とする所有権の移転の登記を申請する場合、農地法3条の許可を受けたことを証する情報を提供することを要しない（農地3Ⅰ⑫、登研444-105）。

○ **396**

農地について当事者間の協議による財産分与を原因とする所有権の移転の登記を申請する場合、農地法3条の許可を受けたことを証する情報を提供することを要する（登研444-105）。

× **397**

相続による所有権の移転登記の申請においては、その申請情報と併せて農地法所定の許可があったことを証する情報の提供を要しない（登研18-27参照）。

× **398**

農地について遺産分割による贈与を原因とする所有権の移転の登記を申請する場合、農地法3条の許可を受けたことを証する情報を提供することを要する（登研592-107）。

399 ☐☐☐　平3-29-エ（平9-26-ケ、平14-15-エ、平21-13-イ）

農地につき、死因贈与による所有権移転登記を申請する場合、農地法の許可書の添付を要する。

400 ☐☐☐　平元-28-ア（平5-17-ウ、平9-26-イ、平31-14-ウ）

相続人の1人を受遺者とする農地の特定遺贈による所有権移転の登記を申請する場合には、農地法所定の許可書の添付を要する。

401 ☐☐☐　平18-14-ウ（平26-21-ウ）

農地につき、包括遺贈を原因として所有権の移転の登記を申請する場合には、農地法第3条の許可を受けたことを証する情報を提供することを要しない。

402 ☐☐☐　平30-21-オ（平6-19-オ、平14-15-イ、平18-14-エ）

甲土地の所有権の登記名義人であるAが死亡し、Aに配偶者B並びに子C及びDがいるときにおいて、甲土地の地目及び現況が畑であり、かつ、AからB、C及びDへの相続を登記原因とする所有権の移転の登記がされた場合において、CがDに対して相続分を贈与し、当該相続分の贈与を登記原因としてCからDへの持分の移転の登記を申請するときは、農地法所定の許可があったことを証する情報を提供することを要しない。

403 ☐☐☐　平20-14-ア（平9-26-4）

農地について、民法第958条の2の規定による特別縁故者への分与の審判があった場合において、これを原因とする所有権移転の登記の申請をするときは、農地法所定の許可書の添付を要する。

○ **399**

死因贈与は単独行為の遺贈と異なり、契約行為のため単なる贈与と同じく当事者の意思に基づく権利変動であり、農地法所定の許可があったことを証する情報の提供を必要とする。

× **400**

特定遺贈については、相続人に対するものであれば、農地法所定の許可があったことを証する情報の提供は不要である（農地3Ⅰ⑯、農地施規15⑤）。

○ **401**

農地につき、包括遺贈を原因として所有権の移転の登記を申請する場合には、農地法所定の許可を証する情報を提供することを要しない（農地施規3⑤）。

○ **402**

農地について、共同相続人間において相続分の贈与がされ、当該譲渡による持分の移転の登記を申請する場合は、農地法所定の許可があったことを証する情報を提供することを要しない（最判平13.7.10）。

× **403**

民法958条の2の規定により特別縁故者に分与された農地について所有権移転登記を申請する場合には、農地法所定の許可があったことを証する情報の提供は不要である（農地3Ⅰ⑫）。

　　　　　　　　　　　　　　　　　　　平31-15-ア

Aが死亡し、その相続人のあることが明らかでない場合において、農地である甲土地の所有権の登記名義人であるAが、甲土地を生前に売却し、その死亡後に農地法所定の許可があった場合において、家庭裁判所に選任された相続財産清算人が、当該許可に基づいて所有権の移転の登記を申請するときは、当該売却に関する家庭裁判所の許可があったことを証する情報を提供することを要しない。

405　　　　　　　　　　平14-21-オ（平22-16-オ、平24-23-オ）

農地についての地上権設定登記の申請書には、農地法所定の許可書を添付しなければならないが、農地についての賃借権設定登記の申請書には、当該許可書を添付することを要しない。

　　　　　　　　　　　　　　　　　　　平22-16-オ

農地である一筆の土地全部について地役権設定の登記を申請する場合には、農地法所定の許可があったことを証する情報を提供する必要はない。

407　　　　　　　　　　　　平29-22-エ（平11-19-ウ）

甲土地を要役地とし、農地である乙土地を承役地として、乙土地の地下に水道管を設置することを目的とする地役権の設定の登記を申請するときは、農地法所定の許可があったことを証する情報を提供することを要しない。

○ **404**

相続人なくして死亡した者が生前に売り渡した農地につき、死亡後に農地法所定の許可があった場合、相続財産清算人が、その許可に基づいて売買を登記原因とする所有権の移転の登記を申請するときは、家庭裁判所の許可があったことを証する情報を提供することを要しない（平3.10.29民三5569号参照）。

× **405**

農地について地上権を設定する場合だけではなく、賃借権を設定する場合であっても農地法所定の許可を得なければならない（農地3Ⅰ）。

× **406**

農地に地役権を設定する場合には農地法所定の許可があったことを証する情報を提供しなければならない（農地3Ⅰ、昭44.6.17民甲1214）。なお、電線路の敷設（支持物の設置を除く。）を目的とする地役権設定の場合、農地法所定の許可があったことを証する情報は不要である（昭31.8.4民甲1772）。

× **407**

農地の地下に工作物を設置することを目的とする地役権を設定する場合、農地法所定の許可があったことを証する情報を提供することを要する（昭44.6.17民甲1214号）。

408 □□□   平8-24-2（平24-23-エ）

農地について抵当権の設定の登記を申請するには、農地法所定の許可書を申請書に添付しなければならない。

409 □□□   平11-19-ア（平19-24-エ、平31-14-オ）

農地の買戻しにつき、その意思表示が約定買戻期間内にされた場合には、農地法第3条の許可が約定買戻期間経過後にされたときでも、同許可書を添付して買戻しによる所有権移転登記の申請をすることができる。

410 □□□   平20-15-エ（平31-14-オ、令5-14-イ）

買戻しの意思表示は買戻期間内にされたが、農地法所定の許可が買戻期間の経過後に到達した場合における買戻権の行使による所有権の移転の登記を申請する場合の原因日付は、農地法所定の許可が到達した日である。

411 □□□   平31-14-ア

Aを所有権の登記名義人とする農地である甲土地に関して、AからBへの売買を登記原因とする所有権の移転の登記手続を命ずる確定判決の理由中に農地法所定の許可がされている旨の認定がされている場合であっても、Bが単独で所有権の移転の登記を申請するときは、農地法所定の許可があったことを証する情報を提供することを要する。

✕ **408**

抵当権は目的物を使用収益する権利ではないので、農地法所定の許可は不要である。

◯ **409**

農地の買戻しにつき、その意思表示は買戻期間内にされたが、買戻しによる所有権移転についての農地法所定の許可が買戻期間経過後にあった場合でも、当該買戻しによる所有権移転登記の申請は受理される（昭42.2.8民甲293号）。

◯ **410**

農地の買戻しにつき、その意思表示は買戻期間内にされたが、買戻しによる所有権移転についての農地法所定の許可が買戻期間経過後にあった場合、農地法所定の許可が到達した日を登記原因の日付として申請することができる（昭42.2.8民甲293号）。

✕ **411**

農地の所有権の移転の登記手続を命ずる判決に基づいて登記の申請をする場合において、判決の理由中に、農地法所定の許可がされている旨又は当該土地が現に農地又は採草放牧地以外の土地であって、農地法所定の許可を要しない旨の認定がされているときは、別途、農地法所定の許可があったことを証する情報を提供することを要しない（平6.1.17民三373号）。

412 ☐☐☐

Ａを所有権の登記名義人とする農地である甲土地に関して、ＡとＢとの間で甲土地の売買契約が締結されたが、ＡがＢに対する所有権の移転の登記手続に協力せず、また、Ａ及びＢが農地法所定の許可を得ていない場合において、農地法所定の許可を条件にＡからＢへの所有権の移転の登記を命ずる判決が確定し、当該条件が成就したときは、Ｂは、当該条件の成就に係る執行文の付与を受けた当該確定判決の判決書の正本を登記原因証明情報として提供して、単独で所有権の移転の登記の申請をすることができる。

413 ☐☐☐

Ａを所有権の登記名義人とする農地である甲土地について、平成30年10月１日に、ＡとＢとの間で甲土地の売買契約が締結されたが、同年12月１日にＡが死亡し、同月14日に農地法所定の許可があった場合において、Ｂへの所有権の移転の登記を申請するときは、その前提としてＡの相続人への所有権の移転の登記を申請しなければならない。

414 ☐☐☐

株式会社の取締役と会社との利益相反取引に該当する売買契約が締結された後に取締役会の承認を得た場合における売買を原因とする所有権の移転の登記を申請する場合の登記原因日付は、取締役会の承認がされた日である。

⚪ **412**

農地法所定の許可があったことを条件として所有権の移転の登記手続を命ずる確定判決に基づいて単独で当該登記を申請する場合には、農地法所定の許可を受けた上で裁判所書記官に対し、当該許可があったことを証する書面を提出して執行文の付与を受ける必要があり（民執27Ⅰ）、登記原因証明情報として執行文の付与された確定判決の判決書の正本を提供する必要がある（不登令7Ⅰ⑤ロ（1））。

⚪ **413**

売主が死亡した後に農地の売買について農地法所定の許可があった場合、相続による所有権の移転の登記を申請することなく、相続人は買主と共同して、売主から買主への所有権の移転の登記を申請することはできない（昭40.3.30民三309号）。

✕ **414**

株式会社の取締役と会社との利益相反取引についての取締役会等の承認は効力発生要件ではないため、売買契約が締結された後に取締役会の承認を得た場合であっても、売買による所有権の移転の登記の原因日付は、売買契約が締結された日である。

415 □□□

取締役がA、B及びCの3名であり、代表取締役がAである取締役会設置会社のX株式会社において、X株式会社がA及びBが所有権の登記名義人である甲不動産をA及びBから購入してする売買を登記原因とする共有者全員持分全部移転の登記については、C一人で取締役会の決議をした取締役会の承認を受けたことを証する情報を提供して申請することができる。

416 □□□

Aが所有権の登記名義人である甲土地について、AがBを権利者とする根抵当権の設定の仮登記をすることに承諾したが、その承諾後、Aについて破産手続開始の決定がされ、その旨が登記された場合には、Bは、当該承諾を証する情報を提供して、当該承諾の日を登記原因の日付とする根抵当権の設定の仮登記を単独で申請することができる。

417 □□□

A株式会社を債務者兼設定者とする根抵当権につき、同社の代表取締役BがA社の債務を引き受けた場合、Bを債務者に追加する登記の申請書には、A株式会社の取締役会議事録を添付しなければならない。

418 □□□

株式会社の代表取締役個人が、会社と連帯債務者となって、会社所有の不動産について抵当権設定の登記を申請する場合には、申請書に取締役会の承認を証する書面の添付を要する。

○ 415

利益相反取引について、取締役3名のうち2名が特別の利害関係を有する場合、特別の利害関係を有しない取締役1名のみで、有効に取締役会の承認決議をすることができる（昭60.3.15民四1603号）。

× 416

破産手続開始決定の登記がある不動産に対し、その開始決定前に根抵当権の設定の仮登記を申請することに関する設定者の承諾を得ていた場合であっても、破産手続開始決定後に、当該設定者の承諾を証する情報を提供してする、破産手続開始の前の日を登記原因の日付とする根抵当権の設定の仮登記の申請は、受理されない（平5.2.4民三1181号）。

○ 417

本肢の根抵当権の債務者の変更がされると、以後、代表取締役の債務を会社所有の不動産で担保することになり、会社に不利益となるので、その登記申請においては取締役会議事録を提供しなければならない（登研382-82参照）。

○ 418

代表取締役個人と会社が連帯債務者であり、この債務を担保するために会社所有の不動産に抵当権を設定することは、利益相反にあたり、取締役会議事録を申請情報と併せて提供する必要がある。

取締役会設置会社であるＸ株式会社の債務を担保するために、Ｘ株式会社の代表取締役であるＡが自己が所有権の登記名義人である甲不動産に抵当権を設定する登記を申請するときは、Ｘ株式会社の取締役会の承認を受けたことを証する情報を提供しなければならない。

取締役会設置会社である株式会社の債務を担保するため、会社所有の不動産について抵当権設定の登記を経た後、債務者をその代表取締役個人に変更する抵当権変更の登記を申請する場合には、取締役会の承認を証する書面の添付を要しない。

甲株式会社と乙株式会社の代表取締役が同一人である場合において、甲株式会社名義の不動産につき、甲株式会社から乙株式会社への売買を登記原因とする所有権の移転の登記を申請するときは、乙株式会社の取締役会の承認を受けたことを証する情報を提供する必要はない。

甲株式会社の債務を担保するため、甲株式会社の代表取締役であるＡの親権に服する子の不動産に抵当権を設定した場合において、当該抵当権の設定の登記を申請するときは、特別代理人によって当該抵当権が設定されたことを証する情報の提供を要する。

× **419**

X株式会社の債務を担保するため、X株式会社の代表取締役であるAを所有権の登記名義人とする甲不動産を目的として抵当権を設定する場合、X株式会社の株主総会(取締役会設置会社においては、取締役会)の承認を受けることを要しない(昭41.6.8民三397号)。

○ **420**

抵当権設定者である会社にとって、債務者を代表取締役に変更しても新たな損害を生じるおそれがないので、利益相反にあたらず、取締役会の承認を証する情報を申請情報と併せて提供する必要はない(昭41.6.8民三397号参照)。

× **421**

両会社において利益相反行為に該当するため、売買を原因とする所有権移転登記を申請する場合には、その双方の承認があったことを証する情報を提供しなければならない(昭37.6.27民甲1657号参照)。

× **422**

親権者が代表取締役をしている会社の債務を担保するために、その親権に服する未成年の子が所有する不動産上に抵当権を設定する場合には、特別代理人の選任を要しない(昭36.5.10民甲1042号)。

Ａ株式会社（取締役会設置会社）及びＢ株式会社（取締役会設置会社）の代表取締役が同一人である場合において、Ａ株式会社の債務を担保するため、Ｂ株式会社所有の不動産に根抵当権を設定する旨の登記を申請するときは、Ｂ株式会社の取締役会の承認を受けたことを証する情報を提供しなければならない。

甲株式会社（取締役会設置会社）を抵当権設定者、甲株式会社と代表取締役を同じくする乙株式会社（取締役会設置会社）を抵当権者とする抵当権の設定の仮登記がされている場合において、解除を原因として当該仮登記の抹消を申請するときは、登記原因について乙株式会社の取締役会の承認を受けたことを証する情報の提供を要する。

甲株式会社の代表取締役がＡ及びＢであり、乙株式会社の代表取締役がＡ及びＣである場合において、Ｂが甲株式会社を、Ｃが乙株式会社を、それぞれ代表して甲株式会社所有の不動産を乙株式会社に売り渡し、その登記を申請するときは、いずれの会社についても取締役会の承認を証する書面を添付する必要がない。なお、甲株式会社及び乙株式会社は、いずれも取締役会設置会社とする。

○ **423**

A株式会社が負担した債務につき、B株式会社が物上保証人となって、根抵当権設定登記の申請をするにあたり、A株式会社の代表取締役とB株式会社の代表取締役が同一人の場合において、B株式会社の取締役会の承認があったことを証する情報の提供を要する（昭35.8.4民甲1929号参照）。

○ **424**

甲株式会社を抵当権設定者、甲株式会社と代表取締役を同じくする乙株式会社を抵当権者とする抵当権の設定の仮登記がされている場合において、解除を原因として当該仮登記の抹消を申請するときは、登記原因について乙株式会社の取締役会の承認を受けたことを要する（登研539-154）。

○ **425**

それぞれの会社を代表している者が売買の相手方の会社の取締役ではないので、利益相反取引に該当しない（昭52.11.14民三5691号参照）。

甲株式会社及び乙株式会社の代表取締役が同一人であり、甲株式会社の丙銀行に対する債務を担保するため、乙株式会社所有の不動産に抵当権を設定する場合には、乙株式会社の取締役会の承認のあったことを証する書面を添付しなければならない。なお、甲株式会社及び乙株式会社は、いずれも取締役会設置会社とする。

甲株式会社（取締役会設置会社）と乙株式会社（取締役会設置会社）の代表取締役が同一人である場合において、乙株式会社の取締役A個人名義の不動産について、根抵当権者を甲株式会社、債務者を乙株式会社とする根抵当権の設定の登記を申請するときは、甲株式会社の取締役会の承認を受けたことを証する情報を提供しなければならない。

甲株式会社（取締役会設置会社）と乙株式会社（取締役会設置会社）の代表取締役が同一人である場合において、甲株式会社と乙株式会社の共有名義の不動産について、共有物分割を登記原因として、甲株式会社の持分を乙株式会社に移転する持分の移転の登記を申請するときは、乙株式会社の取締役会の承認を受けたことを証する情報を提供する必要はない。

○ **426**

甲株式会社及び乙株式会社の代表取締役が同一人であり、甲株式会社の丙銀行に対する債務を担保するため、乙株式会社所有の不動産に抵当権を設定する行為は甲株式会社の代表取締役と乙株式会社との利益相反取引に該当し、抵当権の負担を受ける乙株式会社において取締役会の承認を受けなければならない（不登令7Ⅰ⑤ハ、東京地判昭38.1.30参照）。

× **427**

本肢の根抵当権の設定は、会社の債務を取締役の不動産で担保することとなり、会社の利益を害するおそれがないため、当該根抵当権設定の登記の申請書には、甲株式会社の取締役会の承認を受けたことを証する書面の添付を要しない。

× **428**

甲株式会社及び乙株式会社の代表取締役が同一人である場合において、「共有物分割」を原因として甲株式会社の持分を乙株式会社に移転する共有持分の移転登記の申請書には、甲株式会社及び乙株式会社双方の取締役会の承認を証する情報の提供を要する（登研596-125）。

取締役会設置会社である甲株式会社を設定者、甲株式会社の代表取締役であるAを債務者とする根抵当権の設定の登記がされている場合において、債務者を甲株式会社及びAに変更する（元本の確定前の）根抵当権の変更の登記を申請するときは、登記原因について甲株式会社の取締役会の承認を受けたことを証する情報の提供を要する。

甲株式会社を債務者兼根抵当権設定者とする根抵当権の設定の登記がされている場合において、債務者を、甲株式会社と代表取締役を同じくする乙株式会社に変更する（元本の確定前の）根抵当権の変更の登記を申請するときは、登記原因について甲株式会社の取締役会の承認を受けたことを証する情報の提供を要する。なお、甲株式会社及び乙株式会社は、いずれも取締役会設置会社とする。

根抵当権の元本の確定前の全部譲渡による移転の登記に関し、根抵当権の設定者がA株式会社、債務者がその代表取締役Bである場合、根抵当権の移転の登記の申請情報には、A株式会社の承諾情報のほか、A株式会社の取締役会議事録その他の利益相反行為の承認に関する情報を併せて提供しなければならない。

× **429**

本肢の変更契約は利益相反取引には該当しない。甲株式会社を債務者に追加しても、直ちに会社の不利益とはならないからである。

○ **430**

甲株式会社を債務者兼根抵当権設定者とする根抵当権の設定の登記がされている場合において、（元本確定前の根抵当権の）債務者を、甲株式会社と代表取締役を同じくする乙株式会社に変更する根抵当権の変更の登記を申請するときは、登記原因について甲株式会社の取締役会の承認を受けたことを証する情報の提供を要する（登研515-253）。

○ **431**

本肢の状況において、根抵当権の元本の確定前に根抵当権の全部譲渡をすることは、新たな根抵当権を設定することと異ならないと考えられるため、利益相反行為の承認に関する情報を併せて提供しなければならない（登研664-181参照）。

432 □□□
令2-26-ウ

取締役会設置会社であるＸ株式会社が所有権の登記名義人である甲不動産をＸ株式会社からその代表取締役であるＡに売り渡したことにより売買を登記原因とする所有権の移転の登記を申請するときは、Ｘ株式会社の取締役会の承認を受けたことを証する情報に添付した印鑑に関する証明書の原本の還付を請求することができる。

433 □□□
平29-16-イ（平19-12-オ）

被相続人Ａに相続人のあることが明らかでない場合において、家庭裁判所に選任されたＡの相続財産の清算人が、Ａが生前に売却したＡを所有権の登記名義人とする不動産の所有権の移転の登記を申請するときは、家庭裁判所の許可があったことを証する情報を提供することを要しない。

434 □□□
平19-12-ウ

満17歳の未成年者が所有している不動産について、当該未成年者が登記義務者となって時効取得を原因とする所有権の移転の登記を申請する場合には、当該未成年者の親権者の同意を証する情報の提供を要しない。

435 □□□
平20-21-ウ

根抵当権の元本の確定前の全部譲渡による移転の登記に関し、根抵当権の設定者が未成年者Ｃ、債務者がその親権者である父Ｄである場合において、Ｃの親権者が父Ｄ及び母Ｅであるときは、根抵当権の移転の登記の申請において提供すべき親権者の承諾情報は、Ｅの承諾情報で足りる。

✕ **432**

同意又は承諾を証する情報を記載した書面に記名押印した者の印鑑に関する証明書（不登令19Ⅱ）については、原本の還付を請求することはできない（不登規55Ⅰ但書）。

◯ **433**

本肢の場合、生前売買であり、既に売買の効力は生じている。そして、登記は事実行為であるので、家庭裁判所の許可があったことを証する情報の提供は不要である（昭32.8.26民甲1610号参照）。

◯ **434**

時効による所有権の取得は、未成年者がした法律行為が登記原因となるものではなく、一定の事実状態の継続により生ずるものであるため、未成年者が登記義務者として所有権の移転登記をする場合であっても当該未成年者の親権者の同意を証する情報の提供を要しない（登研529-162参照）。

✕ **435**

親権者である父Dを債務者、その未成年の子Cを根抵当権設定者とする根抵当権を全部譲渡する行為は利益相反行為（民826Ⅰ）となる。そのため、父Dの代わりに特別代理人を選任する必要があり、この者と母Eの承諾を証する情報とを共に提供しなければならない（登研127-44・698-58）。

賃借物の転貸を許す旨の特約の登記がない賃借権につき、転貸契約よりも後に賃貸人の承諾が得られた場合における賃借物の転貸の登記を申請する場合の登記原因日付は、当事者間での転貸契約の日である。

Aに成年後見人が選任されている場合において、Aの居住の用に供する建物につき、Aを売主、Bを買主とする売買を登記原因とする所有権の移転の登記の申請をするときは、家庭裁判所の許可があったことを証する情報を提供しなければならない。

Aのために選任された不在者の財産の管理人が、Aを所有権の登記名義人とする不動産を家庭裁判所の許可を得てBに売却し、AからBへの所有権の移転の登記を申請する場合においては、その許可があったことを証する情報は、その作成の日から3か月以内のものを提供しなければならない。

親権者が、その親権に服する未成年の子に対し、親権者を債務者とする抵当権設定の登記がされている親権者所有の不動産を贈与し、その登記を申請する場合には、未成年の子のための特別代理人の選任書を添付しなければならない。

○ **436**

賃借物の転貸を許す旨の特約のない賃借権を賃借人が転貸する場合、賃借人は、賃貸人の承諾を得なければならない（民612Ⅰ）が、賃貸人の承諾は効力発生要件ではないため、転貸契約よりも後に賃貸人の承諾が得られた場合でも、転貸の登記の原因日付は、転貸契約の日である。

○ **437**

成年後見人が成年被後見人の居住用不動産を売却し、当該登記を申請する場合は、家庭裁判所の許可があったことを証する情報を提供しなければならない（民859の3、登研646-107）。

× **438**

登記原因について第三者が許可し、同意し、又は承諾したことを証する情報には、作成の日から3か月以内のものでなければならないとする規定はない（不登令17Ⅰ・7Ⅰ⑤ハ参照）。

× **439**

親権者が、その親権に服する未成年の子に対し、親権者を債務者とする抵当権設定の登記がされている親権者所有の不動産を贈与することは負担付贈与ではないので親権者と子の利益相反行為に該当しない（登研420-121）。

440 ☐☐☐ 平16-24-4

親権者がその親権に服する未成年の子が所有する建物の増築資金を借り入れるため、当該建物について親権者を債務者とする抵当権を設定し、その登記を申請する場合には、未成年の子のための特別代理人の選任書を添付しなければならない。

441 ☐☐☐ 平25-14-エ（平4-23-3）

元本の確定前の根抵当権の債務者兼設定者であるAについて相続が開始し、その未成年の子Bとその親権者Cとが相続人である場合において、相続によるBへの所有権の移転の登記がされた後、Cを債務者とする民法第398条の8第2項の合意の登記を申請するときは、Bについて特別代理人の選任の審判があったことを証する情報を提供しなければならない。

442 ☐☐☐ 平16-27-イ

元本確定前に根抵当権の極度額増額の登記を申請する場合には、後順位抵当権の登記名義人の承諾書を添付しなければならない。

443 ☐☐☐ 平23-20-エ（平31-25-ア）

Aが所有する不動産にB株式会社を根抵当権者とする確定前根抵当権の設定の登記がされていた場合において、B株式会社を吸収分割会社、C株式会社を吸収分割承継会社とする会社分割があったときは、B株式会社からC株式会社への会社分割を登記原因とする根抵当権の一部移転の登記には、Aの承諾を証する情報を提供することを要しない。

440

親権者が他から金銭を借り受けるにあたり、その債務につき子所有の不動産上に抵当権を設定する行為は、仮に子の利益のためにする意図であったとしても、利益相反行為に該当する（最判昭37.10.2）。そのため、その子のために特別代理人を選任しなければならず（民826Ⅰ）、特別代理人を選任したことを証する選任書を添付することを要する。

441

根抵当権の債務者兼設定者の相続人である親権者が、根抵当権の目的物件を相続した未成年の子に代わって、根抵当権者との間で自己を指定債務者とする合意をすることは、利益相反行為に該当する（登研304-73）。

442

根抵当権の極度額を増額する場合において、後順位抵当権の登記名義人は変更につき利害関係を有する者にあたる。

443

元本の確定前に根抵当権者について会社分割があった場合において、会社分割を登記原因とする当該根抵当権の一部移転の登記を申請するときは、根抵当権設定者の承諾を証する情報を提供することを要しない（登研640-163）。

444 □□□ 平29-25-エ（平16-27-ウ）

Bを権利者とする根抵当権の設定の仮登記がされている場合において、BとCとが共同して譲渡を登記原因とする当該根抵当権の移転の仮登記を申請するときは、所有権登記名義人Aの承諾を証する情報を提供しなければならない。

445 □□□ 平29-14-ア（平21-17-ア）

甲不動産について、Aを仮登記の登記名義人とする所有権の移転の仮登記がされている場合において、Aを登記名義人とする根抵当権の設定の登記がされた後、当該仮登記に基づく本登記を申請するときは、根抵当権の登記名義人であるAの承諾を証する情報を提供しなくても、当該根抵当権の設定の登記は登記官の職権で抹消される。

446 □□□ 平21-17-イ

所有権の移転の登記の抹消を申請する場合に、当該所有権の移転の登記より前に設定された根抵当権につき所有権の移転の登記の後に極度額の増額による根抵当権の変更の登記がされているときは、当該根抵当権の登記名義人の承諾証明情報を提供しなければならない。

447 □□□ 平21-17-ウ

所有権の移転の登記の抹消を申請する場合、当該所有権の移転の登記より前に設定された抵当権の実行による差押えの登記が所有権の移転の登記の後にされているときの当該差押えの登記の登記名義人の承諾証明情報を提供する必要はない。

× **444**

仮登記を申請する場合には、承諾を証する情報の提供は不要である（不登規178、昭39.3.3民甲291号）。

○ **445**

所有権の移転の仮登記後、その仮登記名義人が同一物件について（根）抵当権を設定している場合において、当該仮登記の本登記をするときには、（根）抵当権登記名義人としての承諾証明情報の提供は要しない（昭46.12.11民三532号）。

○ **446**

所有権の移転の登記より前に設定された根抵当権につき所有権の移転の登記の後に極度額の増額による根抵当権の変更の登記がされている場合において、当該所有権の移転の登記の抹消を申請するときは、当該根抵当権者の登記名義人の承諾証明情報を提供しなければならない（68、昭39.8.12民甲2789号）。

× **447**

所有権の移転の登記より前に設定された抵当権の実行による差押えの登記が所有権の移転の登記の後にされている場合、当該所有権の移転の登記の抹消を申請するには、当該差押えの登記名義人の承諾証明情報を提供しなければならない（昭61.7.15民三5706号）。

賃料を増額する賃借権の変更の登記をする場合において、賃借権について転貸の登記がされているときは、転借権の登記名義人の承諾を証する情報又はその者に対抗することができる裁判があったことを証する情報を提供しなければならない。

抹消された抵当権の登記の回復の登記を申請する場合、当該抵当権の登記の抹消後に所有権の移転の登記をした現在の所有権の登記名義人は、登記上の利害関係を有する第三者に該当しない。

抹消された仮差押えの登記の回復を申請する場合、当該仮差押えの登記後、当該登記の抹消前に所有権の移転の登記をした現在の所有権の登記名義人は、登記上の利害関係を有する第三者に該当しない。

官公署が登記義務者として所有権の移転の登記を嘱託するときは、登記権利者の承諾を証する情報を提供しなければならない。

× 448

賃借権の賃料を増額する変更の登記を申請する場合であっても、転借権の登記名義人の承諾を得ることは要しない（登研212-55）。

○ 449

抹消された抵当権の設定の登記について当該抵当権の登記の回復を申請する場合、当該登記の抹消後に所有権の移転の登記をした現在の所有権の登記名義人は、当該抹消された抵当権の回復登記の申請における登記義務者に該当するため、利害関係人には該当しない（昭57.5.7民三3291号）。

× 450

仮差押えの登記後、当該登記の抹消前に所有権の移転の登記をした現在の登記名義人は、抹消された仮差押えの登記の回復を申請する場合において、利害関係人に該当する（昭32.12.27民甲2439号参照）。

× 451

官公署が登記義務者として所有権の移転の登記を嘱託するときは、登記権利者の承諾を証する情報の提供をしなければならないとする旨の規定はない（不登令別表73項添ロ参照）。なお、官公署が登記権利者となる申請では、登記義務者の承諾を証する情報を提供しなければならない（不登令別表73項添ロ）。

452 ☐☐☐   平30-18-ア（平23-26-エ）

不動産の共有者である所有権の登記名義人の全員が３年間共有物の分割を禁止する旨の定めをし、当該定めを追加する旨の所有権の変更の登記を申請するときは、当該登記名義人の全員の印鑑に関する証明書を添付することを要しない。

453 ☐☐☐   平12-27-エ（平20-17-ウ）

法定相続人がＡ、Ｂ及びＣである場合において、相続財産に属する不動産をＡの単独所有とする公正証書による遺産分割協議書を提出して、相続を原因とする所有権移転の登記を申請するときは、申請書にはＢ及びＣの印鑑証明書を添付しなければならない。

454 ☐☐☐   平23-26-ウ

所有権の移転の登記を申請する場合において、登記義務者が記名押印した委任状に公証人の認証を受けたときは、当該委任状には、当該登記義務者の印鑑証明書の添付を要しない。

455 ☐☐☐   平26-14-ア

地役権設定登記の抹消登記を申請する場合、地役権設定の登記がされた後、その要役地について抵当権設定の登記がされているときは、抵当権の登記名義人の承諾を証する情報又はその者に対抗することができる裁判があったことを証する情報を提供しなければならない。

× **452**

共有物分割禁止の定めに係る権利の変更の登記申請書には、当該申請に係る者の印鑑証明書の添付を要する（不登規47③イ（2）、不登令16Ⅱ）。

× **453**

公正証書による遺産分割協議書を提出するときは、当該書面が真正に作成されている可能性が高いので、印鑑証明書の添付を要しない（登研146-42）。

○ **454**

所有権移転の登記を申請する場合において、登記義務者が記名押印した委任状について公証人の認証を受けたときは、当該委任状には、当該登記義務者の印鑑証明書の添付を要しない（不登規49Ⅱ②、不登令18Ⅱ）。

○ **455**

地役権の抹消を申請する場合において、地役権の設定の登記後に登記された当該地役権の要役地を目的とする抵当権があるときは、当該抵当権の登記名義人は登記上の利害関係人となる。

456 □□□ 　　　　　　　　　　　　　　　　　平25-15-ウ

地上権の設定の登記の抹消を申請する場合においては、登記義務者が登記識別情報を提供することができないときであっても、当該登記義務者の印鑑に関する証明書を提供することを要しない。

457 □□□ 　　　　　　　　　　　　　　　　　平17-25-オ

所有権の登記名義人の法定代理人が、所有権の移転の登記の申請をする場合には、申請書に押印した当該法定代理人の印鑑に関する証明書を添付しなければならない。

458 □□□ 　　　　　　　　　　　　　　　　　平20-17-イ

申請情報に記録された登記原因の発生の日以前に交付された印鑑証明書であっても、登記義務者の印鑑証明書として提供することができる。

459 □□□ 　　　　　　　　　　　　　　　　　平20-17-オ

登記権利者の住所を証する情報として印鑑証明書を提供して登記の申請をする場合には、当該印鑑証明書は、作成後3か月以内のものであることを要する。

460 □□□ 　　　　　　　　　　　　　　　　平22-27-オ改題

仮登記された所有権移転請求権の移転の登記を申請する場合には、申請書に仮登記名義人の印鑑証明書を添付することを要しない。

× **456**

地上権の設定の登記を抹消する場合、登記義務者の登記識別情報を提供しなければならない（22）。この点、地上権登記名義人が登記識別情報を提供することができない場合には、当該地上権登記名義人の印鑑証明書を提供することを要する（不登規48 I ⑤参照）。

○ **457**

所有権の登記名義人の法定代理人が登記を申請する場合は、法定代理人の印鑑証明書を添付し、本人の印鑑証明書は不要である（不登令16 II・18 II）。

○ **458**

申請情報と併せて提供する登記義務者の印鑑証明書は、作成後3か月以内のものでなければならない（不登令16 III・18 III）。そして、申請情報に記録された登記原因の発生の日以前に交付された印鑑証明書であっても、登記義務者の印鑑証明書として提供することができる。

× **459**

登記権利者の住所を証する情報として印鑑証明書を提供することができる（昭32.5.9民三518号）。印鑑証明書を住所を証する情報として転用する場合は、不動産登記令16条3項及び18条3項は適用されず、有効期間の定めはない。

× **460**

仮登記名義人を所有権者に準ずるものとして考え、その者の印鑑証明書の添付が必要である（不登令16 II・18 II）。

461 □□□ 　　　　　　　　　　　　　　　　　　平22-27-エ改題

所有権移転仮登記の抹消登記を申請する場合、登記義務者の印鑑証明書の提供が必要となる。

462 □□□ 　　　　　　　　　　　　　　　　　　　　平25-15-ア

登記上の利害関係を有する第三者の承諾を得て、付記登記によってする地役権の変更の登記を申請する場合において、当該第三者の承諾を証する当該第三者が作成した書面に添付すべき印鑑に関する証明書は、作成後３か月以内のものであることを要しない。

463 □□□ 　　　　　　　　　　　　　　　　　　　　平25-15-イ

売主Ａと買主Ｂとの間の売買を登記原因とする所有権の移転の登記と同時にした買戻特約の登記について、買戻権の移転の登記を申請する場合には、Ａの印鑑に関する証明書を提供することを要しない。

464 □□□ 　　　　　　　　　　　　　　　　　　　　平29-18-エ

Ｂに成年後見人が選任されている場合には、Ａを売主、Ｂを買主とする売買を登記原因とする所有権の移転の登記申請の添付情報として、当該成年後見人の住所を証する情報を提供しなければならない。

465 □□□ 　平28-17-エ（平12-18-3、平12-27-ア、平18-23-イ）

Ａが所有権の登記名義人である甲土地について、Ａを債務者とする抵当権が設定されている場合において、Ａの債務をＢが引き受けたときは、登記識別情報を提供した上でする当該抵当権の債務者を変更する登記の申請に際して、Ａの印鑑に関する証明書を添付情報とすることを要しない。

○ **461**

所有権移転の仮登記の抹消登記を申請する場合、所有権に関する仮登記名義人は、所有権の登記名義人に準じて印鑑証明書の提供が必要となる（昭32.4.15民甲736号）。

○ **462**

登記上の利害関係を有する第三者の承諾を得た場合に提供する当該第三者の承諾を証する当該第三者が作成した書面には、承諾の真意を担保させるため、印鑑証明書を添付しなくてはならないが（不登令19Ⅱ）、その有効期間については、法令上の定めはない。

× **463**

買戻権移転の登記を申請する場合、申請情報に登記義務者の印鑑証明書を添付することを要する（昭34.6.20民甲1131号）。

× **464**

所有権の移転の登記を申請する場合、登記名義人となる者の住所を証する情報を提供しなければならない（不登令別表30項添ハ）。この点、本件申請により登記名義人となるのは成年被後見人である。

○ **465**

債務引受を登記原因とする抵当権の債務者の変更の登記を申請する場合は、所有権の登記名義人である登記義務者の印鑑に関する証明書を提供する必要はない（昭30.5.30民甲1123号）。

売主Aと買主Bとの間で、売買契約と同時にした買戻特約の登記について、買戻期間満了を登記原因として抹消を申請する場合、申請書にはAの印鑑証明書を添付しなければならない。

建物を新築する場合における不動産工事の先取特権の保存の登記を申請するときは、登記義務者の印鑑に関する証明書を提供することを要しない。

官庁又は公署が登記権利者として所有権の移転の登記の嘱託をする場合に提出する登記義務者の印鑑証明書は、作成後3か月以内のものであることを要しない。

破産管財人において破産財団に属する不動産を任意売却した場合の所有権移転の登記の申請書には、破産管財人の印鑑証明書を添付することを要する。

日本に居住する外国人が登記義務者として登記の申請をする場合には、市町村長の証明に係る印鑑証明書の交付を受けた上でこれを提供して、登記の申請をすることができる。

466

所有権を目的とする買戻特約の登記を共同申請で抹消する登記の申請書には、買戻特約の登記名義人の印鑑証明書を添付することを要する（昭34.6.20民甲1131号参照、不登令16Ⅱ）。

467

建物を新築する場合における不動産工事の先取特権の保存の登記を申請するときは、登記義務者の印鑑に関する証明書を提供することを要しない（登研433-133）。

468

承諾を証する情報には、その情報に登記義務者が押印した印鑑について印鑑証明書を添付する必要があるが、この場合に不動産登記令16条2項の適用はなく、作成後3か月以内のものであることを要しない（昭31.11.2民甲2530号）。

469

破産管財人のように法令により本人に代わって登記の申請をする権限のある者が所有権登記名義人に代わり登記申請する場合、その者の記名押印及びその印鑑に関する市町村長又は登記官作成の印鑑証明書（不登令16Ⅱ・18Ⅱ）を添付するものとされている（昭30.8.16民甲1734号参照）。

470

日本に居住する外国人が登記義務者として登記の申請をする場合には、市町村長の証明に係る印鑑証明書の交付を受け、登記の申請をすることができる（昭35.4.2民甲787号）。

471 □□□ 平5-24-エ（平20-17-ア、令5-25-オ）

外国に居住している日本人が印鑑証明書に代えて提出する署名証明書は、その作成後3か月以内のものでなくても差し支えない。

472 □□□ 平17-25-ア

登記上利害関係を有する第三者の承諾を証する情報を記載した書面を添付して所有権の移転の仮登記に基づく本登記を申請する場合であっても、当該書面が公証人の認証を受けたものであるときは、当該第三者の印鑑に関する証明書を添付することを要しない。

473 □□□ 平17-25-エ（平23-26-イ）

所有権の移転の登記がない場合において、委任による代理人によって所有権の保存の登記の抹消の申請をするときは、代理人の権限を証する情報を記載した書面に押印した所有権の登記名義人の印鑑に関する証明書を添付することを要しない。

474 □□□ 平17-25-ウ

抵当権の移転の登記を申請する場合において、抵当権の登記名義人が当該抵当権の設定の登記に係る登記識別情報を提供することができないときは、同人が申請書に押印した印鑑に関する証明書を添付しなければならない。

475 □□□ 平23-26-ア

申請人が法人である場合には、当該法人の代表者の印鑑証明書を当該法人の代表者の資格を証する書面とすることができる。

◯ **471**

署名証明書は、不動産登記令16条3項・18条3項の適用がなく、作成後3か月以内であることを要しない。

◯ **472**

第三者の承諾を証する情報を記載した書面について、公証人又はこれに準ずる者の認証を受けた場合は、当該第三者の印鑑に関する証明書を添付することを要しない（不登規50Ⅱ）。

✕ **473**

所有権の移転の登記がない場合において、所有権の登記の抹消を代理人によって申請するときは、代理人の権限を証する情報を記載した書面に押印した所有権の登記名義人の印鑑に関する証明書を添付しなければならない（不登令16Ⅱ、不登規48Ⅰ⑤参照）。

◯ **474**

所有権以外の権利の登記名義人であって、22条ただし書の規定により登記識別情報を提供することなく、当該登記名義人が登記義務者となる権利に関する登記を申請する場合、同人が申請書に押印した印鑑に関する証明書を添付しなければならない（不登令16Ⅱ、不登規48Ⅰ⑤参照）。

✕ **475**

申請人が法人である場合において、当該法人の代表者の印鑑証明書を代表者資格証明情報として提供することはできない（登研711-189）。

地方自治法第260条の2第1項の認可を受けた地縁による団体が登記義務者である場合に、当該団体の代表者の印鑑証明書として添付する市町村長が作成した印鑑証明書は、作成後3か月以内のものであることを要しない。

地上権の設定請求権の仮登記の登記名義人の承諾を証する書面を添付して、当該仮登記の登記上の利害関係人が単独で当該仮登記の抹消の登記を申請するときは、当該仮登記の登記名義人の印鑑に関する証明書を添付することを要しない。

雇用契約における使用者が所有権の登記名義人である不動産について、労働者の当該使用者に対する退職金債権を被担保債権とする一般の先取特権の保存の登記を申請するときは、当該使用者の印鑑に関する証明書を添付することを要しない。

自己信託の登記がされた不動産について、当該自己信託に係る信託行為の定めに基づき信託が終了したことにより当該不動産が委託者の固有財産となった旨の登記を申請するときは、受託者の印鑑に関する証明書を添付することを要しない。

× : **476**

登記義務者の印鑑証明書を添付しなければならない場合には、当該印鑑証明書は、作成後3か月以内のものであることを要する(不登令16Ⅲ)。

× : **477**

第三者の同意又は承諾を証する情報については、その作成者が記名押印し、印鑑に関する証明書を添付しなければならない(不登令19Ⅰ・Ⅱ)。

× : **478**

不動産の所有権について一般の先取特権の保存の登記を申請する場合、債務者である所有権の登記名義人が登記義務者となる。よって、本肢の場合、雇用契約における使用者の印鑑に関する証明書を添付することを要する。

○ : **479**

自己信託の登記がされた不動産について、当該自己信託に係る信託行為の定めに基づき信託が終了したことにより当該不動産が委託者の固有財産となった旨の登記を申請するときは、受託者の印鑑に関する証明書を添付することを要しない(不登令16Ⅱ・18Ⅱ、不登規49Ⅱ④・48Ⅰ⑤・47③イ(4))。

税金の滞納者が所有権の登記名義人である不動産について、税務署が公売処分による当該不動産の所有権の移転の登記を嘱託するときは、その嘱託情報に記名押印した者に係る印鑑に関する証明書を添付することを要しない。

表題部所有者による所有権の保存の登記を申請する際、所有者の住所証明情報を添付することを要する。

所有権移転の仮登記の申請書には、仮登記権利者の住所を証する書面の添付を要しない。

抵当権の設定の登記を申請する場合において、債務者が登記義務者でないときは、債務者の住所を証する情報の提供を要する。

市町村が登記義務者となって所有権の移転の登記を嘱託する場合には、登記権利者の住所を証する情報の提供を要しない。

○ **480**

官庁又は公署が所有権の移転の登記の嘱託をする場合、その嘱託情報に記名押印した者に係る印鑑に関する証明書を添付することを要しない（不登令16Ⅳ・Ⅰ・Ⅱ）。

○ **481**

表題部所有者による所有権の保存登記には、所有者の住所証明情報を添付することを要する（不登令7Ⅰ⑥、不登令別表29項添付情報欄二）。

○ **482**

仮登記権利者の住所を証する情報を提供する必要はない（昭32.5.6民甲879号）。

× **483**

抵当権の設定の登記を申請する場合、債務者の住所を証する情報を提供することを要しない（不登令7Ⅰ⑥、不登令別表55項参照）。

× **484**

官公署が登記義務者となって登記を嘱託する場合には、登記権利者の住所を証する情報の提供を要する（昭32.5.6民甲879号）。

甲登記所の管轄に属する乙土地の所有権の登記名義人であるAが死亡し、Aに配偶者B及び子Cがいる場合における、被相続人Aの法定相続情報一覧図（以下「一覧図」という。）に関して、AからB及びCへの相続を登記原因とする所有権の移転の登記を申請する場合において、B及びCの住所が記載されている被相続人Aの一覧図の写しを提供したときは、B及びCの住所を証する市町村長が職務上作成した情報の提供を省略することができる。

所有権の登記名義人であるAが死亡し、Aに相続人のあることが明らかでないため、Bが相続財産清算人に選任された場合において、A名義の不動産を相続財産法人名義とする登記を申請するときは、相続財産清算人Bの住所を証する情報の提供を要する。

信託による所有権の移転の登記を申請するときは、受益者となる者の住所を証する情報の提供を要する。

1番抵当権の順位を第2番に、2番抵当権の順位を第1番に変更する登記がされている場合において、1番抵当権設定の登記の抹消を申請するときは、2番抵当権登記名義人の承諾書を添付することを要しない。

○ **485**

相続人の住所が記載された法定相続情報一覧図の写し又は法定相続情報番号（法定相続情報一覧図に当該相続人の住所が記載されている場合に限る。）を提供したときは、当該一覧図の写し又は当該番号の提供をもって、登記名義人となる者の住所を証する市町村長その他の公務員が職務上作成した情報の提供に代えることができる（不登規37の3Ⅱ）。

× **486**

所有権の登記名義人が死亡し、相続人のあることが明らかでないため、相続財産法人名義とする登記を申請するときは、相続財産清算人の住所を証する情報を提供することを要しない。

× **487**

信託による所有権の移転の登記を申請するときは、受益者となる者の住所を証する情報を提供することを要しない。

○ **488**

1番抵当権と2番抵当権の順位を変更した後、1番抵当権を抹消するときは、2番抵当権者は利害関係人に該当しない（登研301-69）。

Ａを所有権の登記名義人とする甲土地の乙区１番にＢを根抵当権者とする根抵当権、乙区２番にＣを抵当権者とする抵当権、乙区３番にＤを根抵当権者とする根抵当権の設定の登記がそれぞれされており、Ｄを第１順位、Ｃを第２順位、Ｂを第３順位とする順位の変更の登記がされている場合において、ＡとＢとが共同して、Ｂの根抵当権の極度額の増額の変更の登記を申請するときは、Ｃ及びＤの承諾を証する情報を提供することを要する。

同一の登記所の管轄に属する甲土地及び乙土地を目的として共同根抵当権設定登記がされている場合（なお、元本は確定前である。）において、乙土地の根抵当権設定登記について放棄を原因として抹消を申請するときは、甲土地についての後順位の抵当権設定登記の名義人は、登記上の利害関係人となる。

Ａ・Ｂ共有（Ａ持分５分の３、Ｂ持分５分の２）の土地について、甲を抵当権者とする抵当権設定の登記がされている場合に、Ａの持分を５分の１、Ｂの持分を５分の４とする更正の登記の申請をするには、甲の承諾書を申請書に添付することを要する。

Ａを所有権の登記名義人とする甲土地に、Ｂを登記名義人とする建物所有を目的とする地上権の設定の登記がされている場合において、当該地上権をＣへ売却し、ＢからＣへ地上権の移転の登記の申請をするときは、Ａの承諾を証する情報を提供することを要する。

× 489

順位の変更の登記により後順位になった根抵当権について極度額の増額の変更の登記を申請するときは、順位の変更の登記により先順位になった（根）抵当権者は利害関係を有する第三者に該当しない（登研436-104参照）。

× 490

共同担保の関係にある数個の土地上の根抵当権のうち、ある一部の土地の根抵当権のみの抹消の登記を申請することは差し支えない。この場合、他の土地の登記名義人は利害関係人にはならない。

× 491

Aの持分を5分の1、Bの持分を5分の4とする持分のみ更正の登記の申請をするには、土地の所有権全体に抵当権を有している甲の承諾を証する情報を提供することを要しない（昭47.5.1民甲1765号参照）。

× 492

地上権は、物権の一般的な原則に基づき、権利自体を土地の所有者の承諾を要せず自由に処分することができ、これは、建物所有を目的とする地上権においても同様である。したがって、本肢の場合、Aの承諾を証する情報を提供することを要しない。

493 ☐☐☐ 平22-12-エ

抵当権についての放棄を登記原因とする抵当権の抹消の仮登記がされた後、債権譲渡を登記原因として当該抵当権の移転の登記がされた場合には、抵当権の譲渡人は、登記義務者として、抵当権の譲受人の承諾を証する当該譲受人が作成した情報又は当該譲受人に対抗することができる裁判があったことを証する情報を提供することなく、当該仮登記に基づく本登記の申請をすることができる。

494 ☐☐☐ 平7-20-2（平22-13-エ、平26-14-オ、平31-25-エ）

Aの債権者Xの代位により相続によるA・B共有名義の所有権の移転の登記がされた後に、これを錯誤を原因としてB単独所有名義に更正する登記を申請する場合、Xの承諾書を添付することを要する。

495 ☐☐☐ 平4-28-2（平26-14-エ）

抵当権設定登記の登記事項中、被担保債権の発生の日付を更正する登記を申請する場合には、登記された後順位抵当権があるときでもその登記名義人の承諾書を添付することを要しない。

496 ☐☐☐ 平5-26-3（平26-21-エ）

遺言執行者が、遺言書を代理権限証書として遺贈の登記の申請をする場合には、遺言者の死亡を証する書面の添付を要するが、遺言執行者が家庭裁判所により選任された場合には、その審判書を添付すれば別途遺言者の死亡を証する書面の添付は要しない。

× 493

抵当権設定登記の抹消の仮登記がされた後に、その抵当権が移転している場合、仮登記の本登記申請の登記義務者は、抵当権の譲渡人でも抵当権の譲受人でもどちらでもよい（昭37.10.11民甲2810号）。この点、抵当権の譲渡人を本登記義務者とする場合は、68条により第三者の承諾を証する当該第三者が作成した情報又は第三者に対抗することができる裁判があったことを証する情報を提供しなければならない（昭37.10.11民甲2810号、不登令別表26項添ト）。

○ 494

債権者代位により共有名義に相続登記を申請した債権者は、相続登記の更正の登記の場合の登記上の利害関係人に該当する。（昭39.4.14民甲1498号）。

○ 495

抵当権の登記原因日付を更正しても、後順位抵当権者の優先弁済権に影響を与えるものでなく、その者は何ら不利益を受けることはない。そのため、当該登記の申請には、後順位抵当権者の承諾を証する情報を提供することを要しない（昭31.3.14民甲504号参照、登研375-79）。

○ 496

遺言執行者が家庭裁判所の審判により選任された場合には、その審判書を提供すれば遺言者の死亡を証する情報を提供する必要はない（登研447-84参照）。

AからBへの売買を原因とする所有権の移転の登記の申請を司法書士に委任していたBが、当該登記の申請前に死亡した場合には、当該司法書士は、Bの死亡後もその委任に基づいてAからBへの所有権の移転の登記を申請することができる。

登記申請の委任を受けた代理人が更に当該登記申請を復代理人に委任した後に、最初の代理人が死亡した場合、復代理人が登記を申請するには、本人が直接復代理人に代理権を授与した旨の記載がある委任状を申請書に添付することを要しない。

登記申請を委任した法人の代表者が解任されて3か月を経過した場合、当該委任を受けた代理人が登記を申請するには、現在の代表者の委任状を申請書に添付しなければならない。

登記の申請についての委任を証する情報においてA、B及びCの3人が代理人として選任されていることが明らかな場合には、A、B及びCは、特に共同代理の定めがされていないときであっても、共同して登記の申請手続を代理しなければならない。

家庭裁判所が選任した遺言執行者が、受遺者と共に遺贈を原因とする所有権の移転の登記を申請する場合には、遺言者の死亡を証する情報の提供を要しない。

○ **497**

登記の申請をする者の委任による代理人の権限は、本人の死亡によっては消滅しない（17）。したがって、Bの死亡後も所有権の移転の登記を申請することができる。

○ **498**

復代理人が選任されている場合において、代理人が死亡した場合も代理権不消滅の規定が適用される（平5首席登記官会同質疑）。そのため、「代理人から復代理人に対する委任状と本人から代理人に対する委任状」で足りる。

× **499**

委任による登記申請の代理人の権限は、法人の代表者の代理権が消滅しても消滅しない（17④）。したがって、現在の代表者の委任状を申請書に添付しなければならないわけではない。

× **500**

委任代理人によって登記を申請する場合において、当該申請書に添付された委任状に複数の代理人が列記されているときは、特に共同代理の定めがない限り、各自単独で登記の申請を代理することができる（昭40.8.31民甲2476）。

○ **501**

遺言執行者が家庭裁判所の審判により選任された場合（民1010）には、その審判書を提供すれば遺言者の死亡を証する情報を提供する必要はない（登研447-84参照）。

登記の申請について当事者である未成年者の単独親権者から委任
を受けた場合において、当該親権者が家庭裁判所から親権の喪失
の審判を受けたときは、当該委任による代理人の権限は、消滅する。

登記の申請について当事者である信託の受託者から委任を受けた
場合において、当該受託者の信託に関する任務が終了したときは、
当該委任による代理人の権限は、消滅する。

登記の申請について委任を受けた代理人は、法定代理人が代理し
て登記を申請する場合と同様に、申請に係る登記が完了したとき
は、当然に登記識別情報の通知を受けることができる。

書面申請により登記を申請する場合における委任による代理人の
代理権は、本人について、後見開始の審判がされた場合でも登記
を申請する者の代理権は消滅しない。

書面申請により登記を申請する場合における委任者を登記義務者
とする所有権の移転の登記の申請を司法書士が受任した後に、委
任者が死亡したとき、死亡した委任者から受領していた印鑑証明
書を添付することができ、この印鑑証明書は作成後3か月以内の
ものであることを要しない。

× **502**

家庭裁判所から親権の喪失の審判を受けたときは、親権を喪失するが、法定代理人の代理権が消滅しても、委任による代理人の権限は消滅しない（17④）。

× **503**

本人である受託者の信託に関する任務の終了によっては委任による代理人の権限は消滅しない（17③）。

× **504**

委任を受けた代理人が登記識別情報の通知を受けるには特別の委任が必要であり、これがないときは原則どおり登記名義人となるべき申請人に通知される（不登規62Ⅱ）。

○ **505**

本人について後見開始の審判がされたとしても、代理権の消滅事由ではないため（民111参照）、登記を申請する者の代理権は消滅しない（17④、民653③参照）。

× **506**

死亡した被相続人作成の委任状に基づき登記を申請する場合には、その委任者の印鑑証明書を添付することができる。当該印鑑証明書は、登記申請時点において作成後3か月以内のものであることを要する（不登令18Ⅲ）。

507 ☐☐☐

親権者が未成年者を代理して不動産登記の申請をする場合において、当該親権者の代理権限を証する情報として戸籍に記載した事項に関する証明書を提出するときは、当該証明書は、作成後3か月以内のものであることを要しない。

508 ☐☐☐

不動産の登記の申請人が会社法人等番号を有する法人である場合において、当該法人が作成後3か月以内の代表者の資格を証する登記事項証明書を提供して不動産の登記の申請をする場合には、当該法人の会社法人等番号の提供を要しない。

509 ☐☐☐

会社法人等番号を有する法人が役員の変更の登記を申請したが、その登記が完了する前に抵当権の設定の登記を申請する場合は、当該法人の代表者の資格を証する情報として、会社法人等番号に代えて当該法人の作成後1か月以内の登記事項証明書を提供しなければならない。

510 ☐☐☐

法人が所有権の登記名義人である不動産について、当該法人が登記義務者となってその代表者が所有権の移転の登記の申請書に記名押印し、かつ、当該法人の会社法人等番号を申請情報の内容とした場合において、登記官がその押印に係る印鑑に関する証明書を作成することができるときは、当該申請書には当該印鑑に関する証明書を添付することを要しない。

× **507**

代理権限を証する情報を記載した書面のうち、市町村長、登記官その他の公務員が職務上作成したものは、作成後３か月以内のものでなければならない（不登令17Ⅰ・７Ⅰ②）。

○ **508**

申請人が会社法人等番号を有する法人である場合、当該法人の代表者の資格を証する登記事項証明書（作成後３か月以内のものに限る。）を提供したときは、会社法人等番号の提供を要しない（不登規36Ⅰ①・Ⅱ）。

× **509**

本肢の場合であっても、当該法人の会社法人等番号をその申請情報と併せて登記所に提供すれば、登記事項証明書を提供することを要しない（不登令７Ⅰ①イ）。なお、登記事項証明書を提供する場合は、その作成後３か月以内のもので足りる（不登規36Ⅱ）。

○ **510**

法人の代表者又は代理人が当該記名押印した者である場合において、その会社法人等番号を申請情報の内容としたときであって、登記官が記名押印した者の印鑑に関する証明書を作成することが可能であるときは、当該記名押印した者の印鑑に関する証明書は添付することを要しない（不登規48①）。

甲土地について、乙区1番に賃料を1月5万円とするAのための賃借権の設定の登記が、乙区2番にBのための抵当権の設定の登記がそれぞれされている場合において、乙区1番の賃借権の設定の登記につき、その賃料を1月6万円とする賃借権の変更の登記を、付記登記によってするためには、登記上の利害関係を有する第三者の承諾を証する情報として、Bの承諾を証する情報の提供を要する。

不動産の登記の申請人が会社法人等番号を有する法人である場合において、支配人が申請人である当該法人を代理して不動産の登記の申請をする場合には、当該法人の会社法人等番号の提供を要しない。

不動産の登記の申請人が会社法人等番号を有する法人であるときに、当該法人が登記名義人となる所有権の保存の登記の申請をする場合に、申請情報と併せて当該法人の会社法人等番号を提供したときは、当該法人の住所を証する情報の提供を要しない。

会社法人等番号を有する司法書士法人が申請人を代理して不動産の登記の申請をする場合において、当該司法書士法人の代表者の資格を証する情報を提供したときは、当該司法書士法人の会社法人等番号の提供を要しない。

× **511**

賃借権の賃料を増額する賃借権の変更の登記を申請する場合、後順位抵当権者は登記上の利害関係を有する第三者に該当しない。

× **512**

支配人が申請人である当該法人を代理して申請する場合においても、当該法人の会社法人等番号をその申請情報と併せて提供しなければならない（不登令７Ⅰ①イ）。

〇 **513**

申請情報と併せて住所を証する情報（住所について変更又は錯誤若しくは遺漏があったことを証する情報を含む。）を提供しなければならないものとされている場合において、その申請情報と併せて会社法人等番号を提供したときは、当該住所を証する情報を提供することを要しない（不登規36Ⅳ本文、不登令９・７Ⅰ⑥）。

〇 **514**

法人である代理人によって登記の申請をする場合において、当該代理人の会社法人等番号を提供したときは、当該会社法人等番号の提供をもって、当該代理人の代表者の資格を証する情報の提供に代えることができる（不登規37の２）。

515 □□□ 平29-17-イ

贈与を登記原因とするＡからＢへの所有権の移転の登記を申請する場合において、その申請書に押印されたＡの印鑑に関する証明書を添付したときは、当該証明書の原本の還付を請求することができない。

516 □□□ 平19-16-ア

破産管財人が破産財団に属する不動産について任意売却を原因とする所有権の移転の登記を申請する場合に提供する破産裁判所の裁判所書記官が作成した当該破産管財人の印鑑証明書については、原本の還付を請求することができる。

517 □□□ 平19-16-イ

国又は地方公共団体が登記権利者となって権利に関する登記を嘱託する場合に提供する登記義務者の承諾書に添付した印鑑証明書については、原本の還付を請求することができる。

518 □□□ 平31-19-ア

亡Ａの相続財産法人を所有権の登記名義人とする甲土地について、亡Ａの相続財産清算人Ｂが、建物以外の工作物の所有を目的とした賃借権の設定の登記を申請する場合において、登記原因証明情報である賃貸借契約書に存続期間を10年とする旨が記載されているときには、相続財産清算人Ｂの権限外の行為に関する家庭裁判所の許可があったことを証する情報の提供を要しない。

○ **515**

本人申請の場合の申請書に押印した登記義務者の印鑑証明書（不登令16Ⅱ）について、原本還付を請求することは認められていない（不登規55Ⅰ但書）。

× **516**

裁判所によって選任された者がその職務上行う申請の申請書に押印した印鑑に関する証明書であって、裁判所書記官が最高裁判所規則で定めるところにより作成したもの（不登規48③）は、原本の還付を請求することはできない（不登規55Ⅰ但書）。

× **517**

国又は地方公共団体が登記権利者となって権利に関する登記を嘱託する場合（116Ⅰ）に提供する登記義務者の承諾書に添付した印鑑証明書は、不動産登記令19条2項の印鑑証明書に該当するため、原本の還付を請求することはできない（不登規55Ⅰ但書）。

× **518**

相続財産清算人が民法602条各号に定める期間を超える賃貸借をする場合には、家庭裁判所の許可を得なければならない（民953・28前段・103）。この点、相続財産清算人がする建物以外の工作物の所有を目的とした土地の賃貸借の民法602条各号に定める期間は、5年である（民602②）。

519 ▢▢▢ 　　　　　　　　　　　　　　　　　　　平31-19-イ

甲土地について、存続期間を60年とし、居住の用に供するもので
はない専ら事業の用に供する建物の所有を目的とし、かつ、契約
の更新及び建物の築造による存続期間の延長がない旨の定めのあ
るＡのための賃借権の設定の登記を申請する場合には、登記原因
証明情報として、公正証書の謄本を提供することを要しない。

520 ▢▢▢ 　　　　　　　　　　　　　　　　　　　平31-19-エ

Ａを所有権の登記名義人とする甲土地について、Ａ及びＢを賃借
権者とし、竹木所有を目的とする賃借権の設定の登記を申請する
場合には、Ａ及びＢが共同して当該賃借権の設定の登記を申請す
ることはできない。

521 ▢▢▢ 　　　　　　　　　　　　　平19-16-ウ（平29-17-ウ）

相続を原因とする所有権の移転の登記を申請する場合に提供する
遺産分割協議書に添付した相続人の印鑑証明書については、原本
の還付を請求することができる。

522 ▢▢▢ 　　　　　　　　　　　　　　　　　　　平19-16-エ

登記義務者の登記識別情報を提供することができないため、申請
代理人である司法書士が作成した本人確認情報を提供して登記を
申請する場合には、当該本人確認情報に添付した司法書士の職印
に係る印鑑証明書については、原本の還付を請求することができ
る。

○ **519**

存続期間を50年以上とし、借地借家法13条の規定による買取りの請求をしないこととする旨の定めがない場合は、普通借地権となり（登研535-21）、この場合の賃借権の設定の登記の申請情報と併せて提供する登記原因証明情報は、事業用借地権と異なり、公正証書の謄本に限られない。

○ **520**

借地権を設定する場合においては、他の者と共に有することとなるときに限り、借地権設定者が自らその借地権を有することを妨げない（借地借家15Ⅰ）。この点、建物の所有を目的とする土地の賃借権以外の賃借権については、設定者が自らその賃借権を有することはできない。

○ **521**

相続を原因とする所有権の移転の登記を申請する場合に提供する遺産分割協議書に添付した相続人の印鑑証明書については、原本の還付の請求をすることができる（不登規55Ⅰ参照）。

○ **522**

資格者代理人による本人確認情報は、原本の還付を請求することはできない（不登規55Ⅰ但書）。しかし、当該本人確認情報に添付した司法書士の職印に係る印鑑証明書（不登準49Ⅱ②）については、原本の還付請求をすることができる（不登規55Ⅰ但書参照）。

株式会社と取締役との間の利益相反行為に当たる行為を原因として登記を申請する場合に提供する取締役会議事録に添付された取締役の印鑑証明書については、原本の還付を請求することができる。

外国に居住する日本人AからBへの売買を登記原因とする所有権の移転の登記を申請する場合において、Aが当該申請を資格者代理人に委任する旨のみを記載した委任状に署名し、日本の公証人の認証を受けた上で当該委任状を添付したときは、当該委任状の原本の還付を請求することができない。

Aが、Bを抵当権者とする抵当権の設定の登記を申請する場合において、前所有者からAへの所有権の移転の登記が完了したときにAに対して通知された登記識別情報を記載した書面を添付したときは、当該書面の原本の還付を請求することができない。

Aを受託者とする所有権の移転の登記及び信託の登記がされている甲土地について、Aが住所を移転したことによる所有権の登記名義人の住所についての変更の登記を申請する場合には、Aは、信託目録に記録されている受託者の住所についても変更の登記を申請しなければならない。

× **523**

株式会社と取締役との間の利益相反行為に当たる行為を原因として登記を申請する場合に提供する取締役会議事録に添付された取締役の印鑑証明書は、原本の還付を請求することはできない（不登規55Ⅰ但書）。

○ **524**

書面申請をする場合において、当該申請のためにのみ作成された委任状の原本の還付を請求することはできない（不登規55Ⅰ但書）。

○ **525**

登記官は、登記識別情報が記載された書面が提出された場合において、当該登記識別情報を提供した申請に基づく登記を完了したときは、当該書面を廃棄するものとする（不登規69Ⅰ）。したがって、当該登記識別情報を記載した書面については、廃棄されるので原本の還付を請求することができない。

× **526**

登記官は、信託財産に属する不動産について、受託者である登記名義人の氏名若しくは名称又は住所についての変更の登記又は更正の登記をするときは、職権で、信託の変更の登記をしなければならない（101③）。したがって、受託者は、信託目録に記録されている受託者の住所について、変更の登記の申請をする必要はない。

《主要参考文献一覧》

＊「ジュリスト」（有斐閣）
＊「重要判例解説」（有斐閣）
＊「登記研究」（テイハン）
＊「不動産登記記録例集(平成 28 年 6 月 8 日法務省民二第 386 号民事局長通達)」（テイハン）
＊遠藤浩＝青山正明編「基本法コンメンタール不動産登記法〔第 4 版補訂版〕」（日本評論社）
＊幾代通＝浦野雄幸編「判例先例コンメンタール新編不動産登記法 1 〜 5」（三省堂）
＊幾代通＝宮脇幸彦＝貞家克巳編「不動産登記先例百選〔第 2 版〕」（有斐閣）
＊登記制度研究会不動産部会編「不動産登記先例判例要旨集 1・2」（新日本法規）
＊青山正明著「改正区分所有関係法の解説」（きんざい）
＊青山正明著「民事訴訟法と不動産登記一問一答〔新訂〕」（テイハン）
＊林良平＝青山正明編「注解不動産法 6・不動産登記法〔補訂版〕」（青林書院）
＊青山修著「根抵当権の法律と登記〔三訂版〕」（新日本法規）
＊青山修著「改訂登記名義人の住所氏名変更・更正登記の手引」（新日本法規）
＊青山修著「共有に関する登記の実務」（新日本法規）
＊青山修著「補訂新版不動産登記申請 MEMO 権利登記編」（新日本法規）
＊新井克美著「一問一答不動産登記添付書面」（日本加除出版）
＊幾代通＝徳本伸一補訂「不動産登記法〔第 4 版〕」（有斐閣）
＊香川保一編「全訂不動産登記書式精義上・中・下」（テイハン）
＊鎌田薫＝日本司法書士会連合会監修「新不動産登記法の解説と申請様式」（商事法務）
＊河合芳光著「逐条不動産登記令」（きんざい）
＊神﨑満治郎著「改訂判決による登記の実務と理論」（テイハン）
＊新井克美著「判決による不動産登記の理論と実務」（テイハン）
＊司法書士登記実務研究会編「不動産登記の実務と書式〔第 3 版〕」（民事法研究会）
＊清水響著「一問一答新不動産登記法」（商事法務）
＊清水響著「Ｑ＆Ａ不動産登記法」（商事法務）
＊清水湛編「登録免許税法詳解」（きんざい）
＊鈴木禄弥著「根抵当権概説」（新日本法規）
＊寺本昌広著「逐条解説新しい信託法〔補訂版〕」（商事法務）
＊登記研究編集室編「不動産登記先例解説総覧(増補)」（テイハン）
＊登記申請実務研究会編「事例式不動産登記申請マニュアル」（新日本法規）
＊日本法令不動産登記研究会編「不動産登記のＱ＆Ａ 210 選〔8 訂版〕」（日本法

令）

＊根抵当権登記実務研究会編「ケースブック根抵当権の実務〔第3版〕」（民事法研究会）

＊枇杷田泰助監修「根抵当登記実務一問一答」（きんざい）

＊五十嵐徹著「マンション登記法登記・規約・公正証書〔第5版〕」（日本加除出版）

＊藤原勇喜著「新訂相続・遺贈の登記」（テイハン）

＊藤原勇喜著「登記原因証書の理論と実務」（きんざい）

＊藤原勇喜著「不動産登記の実務上の諸問題」（テイハン）

＊不動産登記法実務研究会編「問答式不動産登記の実務」（新日本法規）

＊法務省民事局参事官室編「一問一答新しい借地借家法〔新訂版〕」（社団法人商事法務研究会）

＊法務省民事局第三課職員編「区分所有登記実務一問一答」（きんざい）

＊法務省民事局第三・四課職員編「登記関係先例要旨総覧」（テイハン）

＊法務省民事局内法務研究会編「新訂不動産登記実務総覧〔第4版〕」（きんざい）

＊登記制度研究会編集「不動産登記総覧 <1> ～ <4>」（新日本法規）

＊法務省民事局内法務研究会編「例解新根抵当登記の実務〔増補版〕」（社団法人商事法務研究会）

＊堀内仁＝鈴木正和＝石井真司編「根抵当実務全書」（きんざい）

＊松尾英夫著「改正区分建物登記詳述」（テイハン）

＊吉野衛著「不動産登記講座Ⅰ～Ⅳ」（日本評論社）

＊吉野衛著「注釈不動産登記法総論上・下〔新版〕」（金融財政）

＊村瀬鋠一編著「新不動産登記先例・実例総覧」（民事法研究会）

＊石井眞司・佐久間弘道著「新金融実務手引シリーズ根抵当実務」（きんざい）

＊後藤浩平編著「〔新版〕不動産登記添付情報全集」（新日本法規）

＊鎌田薫・寺田逸郎・村松秀樹編「新基本法コンメンタール不動産登記法」（日本評論社）

＊不動産登記法実務研究会編「権利に関する登記の実務Ⅰ～Ⅷ」（日本加除出版）

＊小宮山秀史著「逐条解説不動産登記規則1」（テイハン）

＊青山修著「用益権の登記実務」（新日本法規）

＊新井克美＝後藤浩平著「精解設例不動産登記添付情報上・下」（日本加除出版）

＊青山修著「第三者の許可・同意・承諾と登記実務」（新日本法規）

＊木村三男＝藤谷定勝著「改訂仮登記の理論と実務」（日本加除出版）

＊青山修著「補訂版仮登記の実務」（新日本法規）

＊信託登記実務研究会編「信託登記の実務〔第三版〕」（日本加除出版）

＊清水湛監修＝藤谷定勝編著「Q＆A登録免許税の実務〔第2版〕」（日本加除出版）

＊幸良秋夫著「設問解説判決による登記〔全訂〕」（日本加除出版）

令和7年版 司法書士 合格ゾーン ポケット判 択一過去問肢集

❸不動産登記法Ⅰ

2021年11月25日　第1版　第1刷発行
2024年 9月20日　第4版　第1刷発行

編著者●株式会社　東京リーガルマインド
　　　　LEC総合研究所　司法書士試験部

発行所●株式会社　東京リーガルマインド
　　　　〒164-0001　東京都中野区中野4-11-10
　　　　アーバンネット中野ビル
　　　　LECコールセンター　✉ 0570-064-464
　　　　　　　受付時間　平日9：30～19：30／土・日・祝10：00～18：00
　　　　　　　※このナビダイヤルは通話料お客様ご負担となります。
　　　　書店様専用受注センター　　TEL 048-999-7581 / FAX 048-999-7591
　　　　　　　受付時間　平日9：00～17：00／土・日・祝休み
　　　　www.lec-jp.com/

印刷・製本●情報印刷株式会社

新15ヵ月合格コース

短期合格のノウハウが詰まったカリキュラム

LECが初めて司法書士試験の学習を始める方に自信をもってお勧めする講座が新15ヵ月合格コースです。司法書士受験指導40年以上の積み重ねたノウハウと、試験傾向の徹底的な分析により、これだけ受講すれば合格できるカリキュラムとなっております。司法書士試験対策は、毎年一発・短期合格を輩出してきたLECにお任せください。

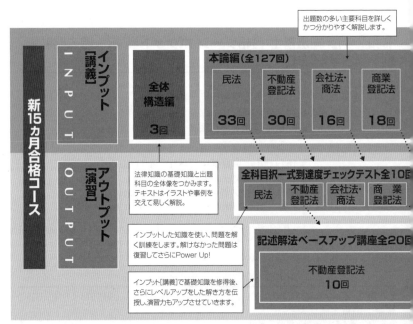

出題数の多い主要科目を詳しくかつ分かりやすく解説します。

法律知識の基礎知識と出題科目の全体像をつかみます。テキストはイラストや事例を交えて易しく解説。

インプットした知識を使い、問題を解く訓練をします。解けなかった問題は復習してさらにPower Up!

インプット[講義]で基礎知識を修得後、さらにレベルアップをした解き方を伝授し、演習力もアップさせていきます。

インプットとアウトプットのリンクにより短期合格を可能に!

合格に必要な力は、適切な情報収集(インプット)→知識定着(復習)→実践による知識の確立(アウトプット)という3つの段階を経て身に付くものです。新15ヵ月合格コースではインプット講座に対応したアウトプットを提供し、これにより短期合格が確実なものとなります。

初学者向け総合講座

本コースは全くの初学者からスタートし、司法書士試験に合格することを狙いとしています。入門から合格レベルまで、必要な情報を詳しくかつ法律の勉強が初めての方にもわかりやすく解説します。

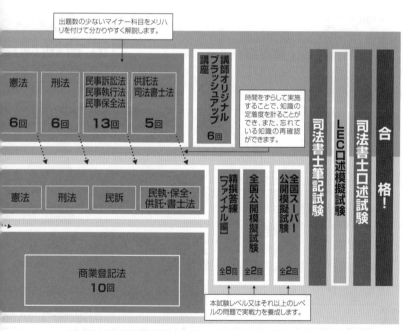

出題数の少ないマイナー科目をメリハリを付けて分かりやすく解説します。

憲法	刑法	民事訴訟法 民事執行法 民事保全法	供託法 司法書士法
6回	6回	13回	5回

講師オリジナル ブラッシュアップ 講座
6回

時間をずらして実施することで、知識の定着度を計ることができ、また、忘れている知識の再確認ができます。

憲法	刑法	民訴	民執・保全・供託・書士法

商業登記法
10回

精撰答練【ファイナル編】 全8回

全国公開模擬試験 全2回

全国スーパー公開模擬試験 全2回

本試験レベル又はそれ以上のレベルの問題で実戦力を養成します。

司法書士筆記試験

LEC口述模擬試験

司法書士口述試験

合格！

※本カリキュラムは、2024年8月1日現在のものであり、講座の内容・回数等が変更になる場合があります。予めご了承ください。

詳しくはこちら⇒ www.lec-jp.com/shoshi/

■お電話での講座に関するお問い合わせ 平日：9:30～19:30 土日祝：10:00～18:00
※このナビダイヤルは通話料お客様ご負担になります。※固定電話・携帯電話共通（一部のPHS・IP電話からのご利用可能）。

LECコールセンター 0570-064-464

スマホで司法書士　S式合格講座

スキマ時間を有効活用！1回15分で続けやすい講座

講義の視聴が**スマホ完結！**

1回15分のユニット制だから スキマ時間にいつでもどこでも**手軽に学習可能で**す。忙しい方でも続けやすいカリキュラムとなっています。

本講座は、LECが40年以上の司法書士受験指導の中で積み重ねた学習方法、短期合格を果たすためのノウハウを凝縮し、本試験で必ず出題されると言ってもいい重要なポイントに絞って講義をしていきます。

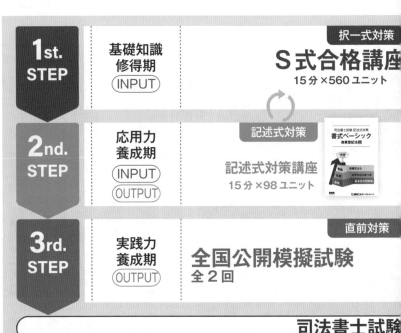

1st. STEP	基礎知識 修得期 (INPUT)	択一式対策 S式合格講座 15分×560ユニット
2nd. STEP	応用力 養成期 (INPUT)(OUTPUT)	記述式対策 記述式対策講座 15分×98ユニット
3rd. STEP	実践力 養成期 (OUTPUT)	直前対策 全国公開模擬試験 全2回

司法書士試験

※過去問対策、問題演習対策を独学で行うのが不安な方には、それらの対策ができる講座・コースもご用意しています。

OUTPUT 合格ゾーンシリーズ

過去問対策

合格ゾーン過去問題集

択一式：全10巻
記述式：全2巻

直近の本試験問題を含む過去の司法書士試験問題を体系別に収録した、LEC定番の過去問題集

合格ゾーン過去問題集

単年度版

本試験の傾向と対策を年度別に徹底解説。受験者動向を分析した各種データも掲載

合格ゾーンポケット判
択一過去問肢集

全8巻

厳選された過去問の肢を体系別に分類。持ち運びに便利なB6判過去問肢集

直前対策

合格ゾーン
当たる！直前予想模試

問題・答案用紙ともに取り外しができるLECの予想模試をついに書籍化
LEC門外不出の問題ストックから、予想問題を厳選

※本内容は2024年8月1日現在のものであり、変更になる場合があります。予めご了承ください。

LEC Webサイト ▷▷▷ **www.lec-jp.com/**

情報盛りだくさん！

 資格を選ぶときも，
講座を選ぶときも，
最新情報でサポートします！

> **最新情報**

各試験の試験日程や法改正情報，対策講座，模擬試験の最新情報を日々更新しています。

> **資料請求**

講座案内など無料でお届けいたします。

> **受講・受験相談**

メールでのご質問を随時受付けております。

> **よくある質問**

LECのシステムから，資格試験についてまで，よくある質問をまとめました。疑問を今すぐ解決したいなら，まずチェック！

> **書籍・問題集（LEC書籍部）**

LECが出版している書籍・問題集・レジュメをこちらで紹介しています。

充実の動画コンテンツ！

 ガイダンスや講演会動画，
講義の無料試聴まで
Webで今すぐCheck！

> **動画視聴OK**

パンフレットやWebサイトを見てもわかりづらいところを動画で説明。いつでもすぐに問題解決！

> **Web無料試聴**

講座の第1回目を動画で無料試聴！気になる講義内容をすぐに確認できます。

LEC 全国学校案内

＊講座のお問合せ，受講相談は最寄りのLEC各校

LEC本校

■ 北海道・東北

札 幌本校 ☎011(210)5002
〒060-0004 北海道札幌市中央区北4条西5-1 アスティ45ビル

仙 台本校 ☎022(380)7001
〒980-0022 宮城県仙台市青葉区五橋1-1-10 第二河北ビル

■ 関東

渋谷駅前本校 ☎03(3404)5001
〒150-0043 東京都渋谷区道玄坂2-6-17 渋東シネタワー

池 袋本校 ☎03(3984)5001
〒171-0022 東京都豊島区南池袋1-25-11 第15野萩ビル

水道橋本校 ☎03(3265)5001
〒101-0061 東京都千代田区神田三崎町2-2-15 Daiwa三崎町ビル

新宿エルタワー本校 ☎03(5325)6001
〒163-1518 東京都新宿区西新宿1-6-1 新宿エルタワー

早稲田本校 ☎03(5155)5501
〒162-0045 東京都新宿区馬場下町62 三朝庵ビル

中 野本校 ☎03(5913)6005
〒164-0001 東京都中野区中野4-11-10 アーバンネット中野ビル

立 川本校 ☎042(524)5001
〒190-0012 東京都立川市曙町1-14-13 立川MKビル

町 田本校 ☎042(709)0581
〒194-0013 東京都町田市原町田4-5-8 MIキューブ町田イースト

横 浜本校 ☎045(311)5001
〒220-0004 神奈川県横浜市西区北幸2-4-3 北幸GM21ビル

千 葉本校 ☎043(222)5009
〒260-0015 千葉県千葉市中央区富士見2-3-1 塚本大千葉ビル

大 宮本校 ☎048(740)5501
〒330-0802 埼玉県さいたま市大宮区宮町1-24 大宮GSビル

■ 東海

名古屋駅前本校 ☎052(586)5001
〒450-0002 愛知県名古屋市中村区名駅4-6-23 第三堀内ビル

静 岡本校 ☎054(255)5001
〒420-0857 静岡県静岡市葵区御幸町3-21 ペガサート

■ 北陸

富 山本校 ☎076(443)5810
〒930-0002 富山県富山市新富町2-4-25 カーニープレイス富山

■ 関西

梅田駅前本校 ☎06(6374)500
〒530-0013 大阪府大阪市北区茶屋町1-27 ABC-MART梅田ビ

難波駅前本校 ☎06(6646)691
〒556-0017 大阪府大阪市浪速区湊町1-4-1
大阪シティエアーターミナルビル

京都駅前本校 ☎075(353)953
〒600-8216 京都府京都市下京区東洞院通七条下ル2丁目
東塩小路町680-2 木村食品ビル

四条烏丸本校 ☎075(353)253
〒600-8413 京都府京都市下京区烏丸通仏光寺下ル
大政所町680-1 第八長谷ビル

神 戸本校 ☎078(325)051
〒650-0021 兵庫県神戸市中央区三宮町1-1-2 三宮セントラルビ

■ 中国・四国

岡 山本校 ☎086(227)500
〒700-0901 岡山県岡山市北区本町10-22 本町ビル

広 島本校 ☎082(511)700
〒730-0011 広島県広島市中区基町11-13 合人社広島紙屋町アネク

山 口本校 ☎083(921)891
〒753-0814 山口県山口市吉敷下東 3-4-7 リアライズⅢ

高 松本校 ☎087(851)341
〒760-0023 香川県高松市寿町2-4-20 高松センタービル

松 山本校 ☎089(961)133
〒790-0003 愛媛県松山市三番町7-13-13 ミツネビルディング

■ 九州・沖縄

福 岡本校 ☎092(715)500
〒810-0001 福岡県福岡市中央区天神4-4-11 天神ショッパー
福岡

那 覇本校 ☎098(867)500
〒902-0067 沖縄県那覇市安里2-9-10 丸姫産業第2ビル

■ EYE関西

EYE 大阪本校 ☎06(7222)365
〒530-0013 大阪府大阪市北区茶屋町1-27 ABC-MART梅田ビ

EYE 京都本校 ☎075(353)253
〒600-8413 京都府京都市下京区烏丸通仏光寺下ル
大政所町680-1 第八長谷ビル

LEC提携校

＊提携校はLECとは別の経営母体が運営をしております。
＊提携校は実施講座およびサービスにおいてLECと異なる部分がございます。

■ 北海道・東北

八戸中央校【提携校】　☎0178(47)5011
〒031-0035　青森県八戸市寺横町13　第1朋友ビル　新教育センター内

弘前校【提携校】　☎0172(55)8831
〒036-8093　青森県弘前市城東中央1-5-2
なびの森　弘前城東予備校内

秋田校【提携校】　☎018(863)9341
〒010-0964　秋田県秋田市八橋鯲沼町1-60
株式会社アキタシステムマネジメント内

■ 関東

水戸校【提携校】　☎029(297)6611
〒310-0912　茨城県水戸市見川2-3079-5

所沢校【提携校】　☎050(6865)6996
〒359-0037　埼玉県所沢市くすのき台3-18-4　所沢K・Sビル
合同会社LPエデュケーション内

日本橋校【提携校】　☎03(6661)1188
〒103-0025　東京都中央区日本橋茅場町2-5-6　日本橋大江戸ビル
株式会社大江戸コンサルタント内

■ 東海

沼津校【提携校】　☎055(928)4621
〒410-0048　静岡県沼津市新宿町3-15　萩原ビル
i-netパソコンスクール沼津校内

■ 北陸

新潟校【提携校】　☎025(240)7781
〒950-0901　新潟県新潟市中央区弁天3-2-20　弁天501ビル
株式会社大江戸コンサルタント内

金沢校【提携校】　☎076(237)3925
〒920-8217　石川県金沢市近岡町845-1　株式会社アイ・アイ・ピー金沢内

福井南校【提携校】　☎0776(35)8230
〒918-8114　福井県福井市羽水2-701　株式会社ヒューマン・デザイン内

■ 関西

和歌山駅前校【提携校】　☎073(402)2888
〒640-8342　和歌山県和歌山市友田町2-145
KEG教育センタービル　株式会社KEGキャリア・アカデミー内

■ 中国・四国

松江殿町校【提携校】　☎0852(31)1661
〒690-0887　島根県松江市殿町517　アルファステイツ殿町
山路イングリッシュスクール内

岩国駅前校【提携校】　☎0827(23)7424
〒740-0018　山口県岩国市麻里布町1-3-3　岡村ビル　英光学院内

新居浜駅前校【提携校】　☎0897(32)5356
〒792-0812　愛媛県新居浜市坂井町2-3-8　パルティフジ新居浜駅前店内

■ 九州・沖縄

佐世保駅前校【提携校】　☎0956(22)8623
〒857-0862　長崎県佐世保市白南風町5-15　智翔館内

日野校【提携校】　☎0956(48)2239
〒858-0925　長崎県佐世保市椎木町336-1　智翔館日野校内

長崎駅前校【提携校】　☎095(895)5917
〒850-0057　長崎県長崎市大黒町10-10　KoKoRoビル
minatoコワーキングスペース内

高原校【提携校】　☎098(989)8009
〒904-2163　沖縄県沖縄市大里2-24-1
有限会社スキップヒューマンワーク内

※上記は2024年8月1日現在のものです。

書籍の訂正情報について

このたびは，弊社発行書籍をご購入いただき，誠にありがとうございます。
万が一誤りの箇所がございましたら，以下の方法にてご確認ください。

1 訂正情報の確認方法

書籍発行後に判明した訂正情報を順次掲載しております。
下記Webサイトよりご確認ください。

www.lec-jp.com/system/correct/

2 ご連絡方法

上記Webサイトに訂正情報の掲載がない場合は，下記Webサイトの
入力フォームよりご連絡ください。

lec.jp/system/soudan/web.html

フォームのご入力にあたりましては，「Web教材・サービスのご利用について」の
最下部の「ご質問内容」に下記事項をご記載ください。

> ・対象書籍名（○○年版，第○版の記載がある書籍は併せてご記載ください）
> ・ご指摘箇所（具体的にページ数と内容の記載をお願いいたします）

ご連絡期限は，次の改訂版の発行日までとさせていただきます。
また，改訂版を発行しない書籍は，販売終了日までとさせていただきます。

※上記「2ご連絡方法」のフォームをご利用になれない場合は，①書籍名，②発行年月日，③ご指摘箇所，を記載の上，郵送
にて下記送付先にご送付ください。確認した上で，内容理解の妨げとなる誤りについては，訂正情報として掲載させてい
ただきます。なお，郵送でご連絡いただいた場合は個別に返信しておりません。

　送付先：〒164-0001 東京都中野区中野4-11-10 アーバンネット中野ビル
　　　　　株式会社東京リーガルマインド 出版部 訂正情報係

> ・誤りの箇所のご連絡以外の書籍の内容に関する質問は受け付けておりません。
> また，書籍の内容に関する解説，受験指導等は一切行っておりませんので，あらかじめ
> ご了承ください。
> ・お電話でのお問合せは受け付けておりません。